Distribution

Pour le Canada:

Les Éditions Flammarion/Socadis
375, avenue Laurier Ouest
Montréal (Québec)
H2V 2K3
Tél.: (514) 277-8807

Pour la France:

Dilisco
122, rue Marcel Hartmann
94200 Ivry-sur-Seine
(Paris/France)
Tél.: (1) 49 59 50 50

Pour la Belgique:

Vander, s.a.
321, avenue des Volontaires
B-1150 Bruxelles (Belgique)
Tél.: (32-2) 762 9804

Pour la Suisse:

Diffusion Transat, s.a.
Route des Jeunes, 4ter
Case postale 1210
CH-1211 Genève 26
Tél.: (022) 342 7740

Devenir maître motivateur

Secrets et principes
pour inspirer votre leadership

Données de catalogage avant publication (Canada)

Batten, Joe D.

  Devenir maître motivateur

  Traduction de: The Master Motivator.

  Comprend des références bibliographiques

  ISBN 2-89225-312-8

  1. Personnel – Motivation. 2. Motivation d'accomplissement.
I. Hansen, Mark Victor. II. Titre.

HF5549.5.M63B3714 1997   658.3'14   C97-940458-4

Cet ouvrage a été publié en langue anglaise sous le titre original:
THE MASTER MOTIVATOR, SECRETS OF INSPIRING
LEADERSHIP
Published by Health Communications, Inc.
3201 S. W. 15th Street
Deerfield Beach, Florida 33442-8190
Copyright © 1995 by Joe Batten and Mark Victor Hansen
All rights reserved

©, Les éditions Un monde différent ltée, 1997
Pour l'édition en langue française

Tous droits de reproduction, de traduction et d'adaptation réser-
vés pour tous les pays: Les éditions Un monde différent ltée

Dépôts légaux: 3e trimestre 1997
Bibliothèque nationale du Québec
Bibliothèque nationale du Canada
Bibliothèque nationale de France

Conception graphique de la couverture:
SERGE HUDON

Version française:
ANNIE DESBIENS & MIVILLE BOUDREAULT

Photocomposition et mise en pages:
COMPOSITION MONIKA, QUÉBEC

ISBN 2-89225-312-8

(Édition originale: ISBN 1-55874-355-3, Health Communications, Inc., Florida)

Mark Victor Hansen et Joe Batten

Devenir maître motivateur

Secrets et principes
pour inspirer votre leadership

Les éditions Un monde différent ltée
3925, Grande-Allée
Saint-Hubert (Québec), Canada
J4T 2V8

Note de l'Éditeur: Les auteurs utilisent un vocabulaire bien à eux et donnent aux mots une signification différente des définitions habituelles suggérées au dictionnaire. Par exemple, les auteurs emploient le terme « vulnérable » dans un autre sens que vous trouverez à leur glossaire personnel ci-inclus.

Table des matières

Avant-propos par Jim Rohn 13

Préface 15

Remerciements 17

Introduction par Bettie B. Youngs 19

Chapitre 1 Doug se souvient 35

Chapitre 2 La découverte de soi 39
Besoins et désirs. 44
Peurs et mécanismes de défense 44
«Je suis quelqu'un de bien!» 45
Être prêt à oser 45
Moyens d'action 46

Chapitre 3 Objectifs, vision et valeurs 51
Contempler l'arc-en-ciel 51
Vulnérabilité est synonyme d'invincibilité 52
Bienveillance, partage et audace 53
Un code de valeurs 53
Moyens d'action 54

9

Chapitre 4   Le sentiment de compétence et les
attentes   55

Progresser en se dépassant   56

L'être avant l'agir   57

Moyens d'action   58

Chapitre 5   La découverte de ses forces
personnelles   61

La réalité de nos existences   61

Le début d'une quête sans fin.   62

Chacun possède sa boîte à outils   64

La recherche de nouveaux outils   65

Les défis de l'«auto-changement»   65

Les 16 audaces du mentor   67

Moyens d'action   74

Chapitre 6   La joie de faire progresser les
autres.   77

C'est en se donnant qu'on se découvre. .   79

Demande et écoute   80

Besoins, désirs et capacités   80

Donner pleins pouvoirs aux autres et les
renforcer   82

Moyens d'action   84

Chapitre 7   Qu'est-ce qu'un leader?   87

Les 20 déclencheurs de changement de
paradigmes   88

La puissance du «Suivez-moi»   88

Moyens d'action   89

Chapitre 8   Une énergie et une vitalité infinies   91

Des habitudes et des pensées vitales   91

Repoussez sans cesse vos limites
(moyens d'action)   92

Chapitre 9   La rétroaction continue.   95

Les cinq étapes clés de la motivation. . . .   95

Table des matières

Chapitre 10 Le maître motivateur se tourne
vers l'avenir   99

Glossaire de la motivation 101

Au sujet des auteurs. 123

Bibliographie. 127

Avant-propos

Si j'accepte rarement l'invitation de signer l'avant-propos d'un livre, je n'ai pu refuser cette fois-ci l'offre de collaborer à cet ouvrage *Devenir maître motivateur*. Et pour quelle raison, me direz-vous? Car il s'agit de Joe Batten et Mark Victor Hansen.

Joe et Mark sont des êtres chevronnés et aguerris. Depuis plus de 20 ans, ils ont sans cesse perfectionné leur art et fait éclore les talents de leurs élèves. Leurs idées et leur enthousiasme ont été pour moi une source d'inspiration.

Dans ce livre remarquable, Joe et Mark conjuguent leurs talents pour nous enseigner comment devenir un leader de premier plan, tant dans notre vie professionnelle que familiale, et comment exploiter au maximum notre potentiel comme individu. Ils nous donnent les clés de la réussite. La bonne nouvelle au sujet de la réussite, c'est qu'elle n'a rien de magique, de mystérieux ou de compliqué: elle est le fruit d'un processus tout simple. En fait, la réussite naît de la capacité de mettre en pratique dans notre vie des principes fondamentaux éprouvés. Dans *Devenir maître motivateur*, Joe et Mark réalisent un tour de force: ils rendent simple et faisable une chose complexe à première vue.

C'est grâce à sa rencontre avec un mentor que Doug Sanchez, le protagoniste du livre de Joe et Mark, amorce son exploration des principes qui le conduiront à la réussite professionnelle et personnelle. (J'ai toujours souscrit à ce passage de la Bible qui dit: «Cherchez et vous trouverez»). Sous les conseils de son mentor, Doug devient un élève. C'est en conversant avec Doug que ce mentor avisé lui transmet les vérités et les principes à suivre pour devenir un maître de la motivation. Le mentor livre à Doug les secrets du succès: le pouvoir des rêves et des objectifs; l'importance du développement de soi et de la découverte de soi; la nécessité d'aider autrui; et le besoin de mettre à profit ses talents individuels. Au fur et à mesure que le mentor enseigne ces principes, vous aussi serez en mesure de les comprendre avec clarté. Mais plus important encore, cela vous incitera à passer à l'action et à entreprendre ce processus.

Quant à ceux et celles qui connaissent déjà le succès, ce livre vous rappellera les nombreuses idées qui vous ont nourris au début, mais qui se sont peut-être perdues dans le tumulte de la vie quotidienne. Nous avons tous besoin d'apporter des changements en cours de route: c'est même là une des composantes essentielles dans l'équation de la réussite.

Peu importe l'étape à laquelle vous êtes rendu dans votre cheminement, cet ouvrage vous incitera à souligner des passages clés, à les annoter et à les revoir de temps à autre. Dans votre ascension vers la réussite personnelle et professionnelle, n'oubliez pas de faire part de ces principes à votre entourage de façon à devenir, vous aussi, un maître motivateur.

Jim Rohn, C.P.A.E.
Auteur de *Stratégies de prospérité.*

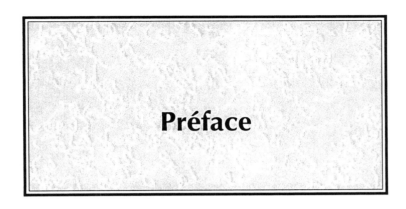

Préface

Si vous désirez en savoir plus long sur la motivation individualisée et devenir un maître motivateur, lisez ce qui suit...

Notre histoire raconte l'incroyable progression de Doug Sanchez qui, en apprenant à se motiver et à motiver les autres, passe d'une existence «moyenne» à l'excellence, de la tragédie au triomphe. Il ose aller au bout de lui-même et il incite les membres de son équipe, sa famille et ses amis à faire de même. Découvrez par vous-même la précieuse contribution qu'il a apportée et les résultats inestimables qu'il a obtenus.

Toute véritable motivation commence par la motivation de soi, c'est-à-dire par l'intention d'agir. L'acquisition de la capacité de se motiver et d'en faire une habitude de vie n'est pas une chose facile, mais c'est faisable. Nous possédons tous ce potentiel, mais il faut parfois un maître motivateur pour le libérer. Ce rôle de mentor motivant, présenté dans l'histoire de Doug, renferme aussi bien des exemples d'écueils et d'échecs que des exemples de succès. L'objectif ici est de progresser, de se renforcer et d'aller de l'avant.

L'identité du mentor dont il est question dans ce livre n'est pas précisée, car votre perception doit être intériorisée et personnalisée. Nous espérons sincèrement que vous ferez consciencieusement tous les exercices proposés et que vous trouverez un mentor qui vous poussera à vous réaliser pleinement en tant qu'être humain. De profondes transformations se produiront spontanément dans votre vie.

Un des plus beaux cadeaux à faire à quelqu'un, c'est d'avoir envers lui des attentes d'excellence et de dépassement, fondées sur une quête incessante de ses forces présentes et potentielles.

Si vous désirez ardemment vous réaliser pleinement, lisez et relisez ce livre. Apprenez ses principes et ses idées, maîtrisez-les, appropriez-vous-en, utilisez-les et répandez-les autour de vous. Le ferez-vous? Nos pensées vous accompagnent.

Remerciements

Il n'est pas facile de remercier tous ceux à qui nous sommes redevables, car ils sont nombreux. Lorsque Leonard Hudson s'associa à Joe Batten en 1958, suivis en 1959 par Hal Batten et Jim Swab, la firme Batten, Batten, Hudson et Swab se donna comme mission d'aider des individus et des organisations *à se réaliser pleinement*. Même si Joe donna ce slogan à l'armée américaine des années plus tard, cette phrase est restée notre principale raison d'être et de servir.

Notre équipe a vu passer bon nombre de personnes qui ont par la suite connu un énorme succès au sein de leur propre entreprise, et c'est très bien ainsi.

Voici quelques-unes des personnes auxquelles Joe doit beaucoup. Il y a Mary Rœlofs et Melva Edwards, pour leur contribution inestimable à titre d'adjointes administratives. Il y a aussi Art Bauer, John Wade, Hector Sanchez, Dennis Murphy, Bob Johns, Judy Porter, Bob Gappa, Sharon Ward, Joyce Sulllivan, Shirley Winner, Diane Hockett, Frank Russell, Barbara Wickham et Bettie Youngs.

Parmi les personnes qui ont collaboré directement à ce livre figurent Jared Van Horn, Chris Hudson, Bill Pearce, Norm Fleming, Robert Pugh, Leonard Hudson, bien évidemment, et Bradford Pugh. Quant à la reconnaissance de Joe envers son épouse, Jean, et ses deux filles, Gail et Wendy, elle ne peut s'exprimer en mots.

Parmi les clients et collègues qui ont eu une profonde influence sur Joe, on trouve Ross Perot, Konosuke Matsushita, Berkley Bedell, George Morrisey, Zig Ziglar, Robert Randolph, Don Kirkpatrick, Norman Vincent Peale et Donald Alstadt.

De son côté, Mark Victor Hansen remercie tout particulièrement Cavett Robert, dont la cassette de motivation intitulée *Are You the Cause or Are You the Effect?* lui a sauvé la vie après sa faillite en 1974. Mark a suivi l'enseignement de Cavett en écoutant sa cassette 287 fois. Son apprentissage lui a permis de se réorienter et l'a incité à se retrousser les manches et à aller de l'avant.

Mark exprime également sa reconnaissance à son épouse, Patty, pour son amour inépuisable, son appui, son dévouement, sa pensée et son aide constante dans tous les aspects de sa vie.

Jack Canfield a été un partenaire avisé, un ami et un confident.

Le mentor intellectuel de Mark était le docteur Richard Buckminster Fuller, enseignant et ami qui lui a appris à élargir sa réflexion et à découvrir comment aider l'humanité entière à tirer profit de cet univers.

Chaque année, Mark choisit au moins un nouveau mentor dans un domaine où il souhaite progresser et qu'il veut maîtriser. Mark souhaite remercier quelques-uns de ses récents mentors, dont les docteurs Jeffrey Lant et Jean Houston, Joel Weldon, Jay Abraham et Bob Allen.

Introduction

Motivation: Se motiver. Motiver les autres. Être inspiré. Inspirer les autres. Prendre sa vie en main. Guider les autres. Tout tourne autour de la motivation, n'est-ce pas? Votre bonheur et votre bien-être; votre productivité, vos accomplissements, votre réussite, votre amour-propre: tout est intimement lié à la motivation. Du berceau au tombeau, l'art de s'inspirer soi-même et d'inspirer les autres nous touche tous profondément. Réfléchissez à la nécessité de devenir un maître motivateur dans les domaines les plus importants de votre vie:

* Pouvez-vous inciter vos collègues et vos employés à se passionner tout autant que vous pour les objectifs de votre entreprise? Pouvez-vous leur insuffler le désir de se dépasser, de donner le maximum avec enthousiasme plutôt qu'à contrecœur? Pouvez-vous les encourager à agir conformément à leur conscience et à l'éthique, en adhérant à un code de conduite qui accroît leur plaisir, leur satisfaction et leur amour-propre, tout en favorisant un environnement dynamique et synergique? Pouvez-vous les pousser à se réa-

liser pleinement, mais non au détriment de l'entreprise ou de ses employés? *Pour cela, il faut être un maître motivateur.*

- Pouvez-vous convaincre cette personne tout à fait extraordinaire de s'engager pour la vie envers vous? Pouvez-vous susciter en elle le désir d'être loyale, solidaire et fidèle? Pouvez-vous amener cette personne à se soucier à la fois de *votre* bien-être et du sien? Pouvez-vous mériter son respect et faire tout ce qu'il faut pour qu'elle vous tienne en haute estime? Pouvez-vous l'encourager à penser à la fois en termes de *je* et de *nous*, c'est-à-dire à privilégier le mieux-être de votre union et non la satisfaction de ses propres besoins? Pouvez-vous persuader votre partenaire d'apprécier vos différences et de les considérer comme des forces positives et enrichissantes afin de permettre à la fois à chacun d'exprimer pleinement ses talents, son bonheur et sa satisfaction? *Pour cela, il faut être un maître motivateur.*

- Pouvez-vous offrir à vos enfants le plus beau des cadeaux: l'assurance qu'ils pourront toujours compter sur votre savoir et votre protection? Pouvez-vous leur insuffler la détermination de se donner à fond dans tout ce qu'ils entreprennent? Pouvez-vous aider votre bébé à lâcher prise pour faire ses premiers pas sans aide, ou inciter votre bambin à s'éloigner du bord de la piscine pour nager tout seul vers vous? *Pour cela, il faut être un maître motivateur.*

- Pouvez-vous donner à un jeune enfant la confiance dont il a besoin pour laisser la sécurité du nid familial et affronter de façon positive un nouvel enseignant qu'il ne connaît pas et une salle de classe bondée d'enfants qui le regardent? Pou-

vez-vous convaincre votre enfant de faire ses devoirs et ses leçons même lorsqu'il est fatigué, in-
certain de la façon de les faire, ou peu intéressé
par la matière à étudier? Pouvez-vous inciter un
jeune à se plier aux rigueurs de l'apprentissage,
qu'il s'agisse d'une première leçon de mathéma-
tiques ou de l'apprentissage du piano, et à comprendre ce qu'il peut en retirer? Pouvez-vous
enseigner aux enfants à donner le meilleur
d'eux-mêmes tout en leur inculquant l'importance de sacrifier le *moi* pour le *nous* dans une
équipe? Pouvez-vous persuader un enfant de
ranger sa chambre et de prendre soin de lui-
même? *Pour cela, il faut être un maître motivateur.*

- Pouvez-vous amener votre adolescent à se pré-
munir d'un parachute alors qu'il veut s'élancer
tout seul dans le ciel de la vie? Pouvez-vous le
convaincre d'assumer ses responsabilités envers
sa famille alors même qu'il est en quête d'autonomie? Pouvez-vous l'inciter à vous consacrer
du temps alors qu'il préfère vos clés de voiture?
Pouvez-vous lui montrer comment adhérer aux
objectifs d'un groupe – afin de s'y intégrer – tout
en restant lui-même? Pouvez-vous lui faire comprendre l'importance de rester fidèle à ses valeurs même dans l'adversité? de rentrer à la maison à l'heure convenue? de se lever de lui-même
le matin? Pouvez-vous lui enseigner à respecter
le choix d'une autre personne, quitte à refouler
ses désirs les plus pressants? Pouvez-vous lui
inculquer la force de se comporter de façon responsable envers lui-même et envers la société?
Pouvez-vous lui donner la confiance dont il a
besoin pour poursuivre des objectifs qui en va-
lent la peine? *Pour cela, il faut être un maître motivateur.*

21

- Pouvez-vous donner à votre enfant devenu adulte le goût de quitter le domicile familial, de faire ses études, d'entrer sur le marché du travail, de travailler en poursuivant des objectifs, de fonder sa propre famille et de vivre une vie basée sur des principes? *Pour cela, il faut être un maître motivateur.*

- Enfin, et c'est peut-être le plus important, êtes-vous capable de vous motiver à donner le meilleur de vous-même? Acceptez-vous d'assumer votre existence en admettant que vous êtes le maître de votre destin? Prenez-vous régulièrement le temps de vous ressourcer dans ce qui vous inspire et vous fait grandir? Êtes-vous ouvert à de nouvelles expériences et réévaluez-vous régulièrement vos idées préconçues? Lisez-vous toutes sortes d'ouvrages qui vous exposent à la pensée de grands esprits? Êtes-vous capable de renouveler sans cesse votre engagement à l'égard des objectifs qui donnent un sens à votre vie – paix de l'esprit, relations harmonieuses avec autrui, apprentissage et éducation, statut social et respect, loisirs, santé, bien-être et forme physique, autonomie financière, réussite professionnelle? *Pour cela, il faut être un maître motivateur.*

La motivation de soi et des autres est une tâche difficile, mais elle est nécessaire si on veut préserver sa vitalité. On ne peut guère vivre une vie qui a un sens et un but lorsqu'on ne maîtrise pas cette motivation. Même une entreprise rentable et dynamique dans son secteur – c'est-à-dire une entreprise capable de recruter et de garder des employés passionnés, productifs, compétitifs, orientés vers le succès, stimulants et heureux – peut difficilement compter sur une telle main-d'œuvre sans la présence d'un leader compétent, d'un maître motivateur. La motivation est ce qui distingue les grands diseurs des grands faiseurs, les rêveurs de ceux qui accomplissent, les bons services des services dynamiques, les familles où les membres se bornent à vivre ensemble des familles saines et heureuses.

Toutefois, pour passer du désir à la réalité, il faut plus que de simples intentions; qu'on se motive soi-même ou qu'on motive les autres, il faut, pour réussir, acquérir des *habiletés* exemplaires de motivateur.

Présidents, parents, chefs de service, superviseurs, doyens d'université, pasteurs, contremaîtres, hauts fonctionnaires, tous visent à accomplir des choses avec et par les autres. Tous doivent maîtriser quatre habiletés essentielles au bon fonctionnement de tout groupe: la planification, l'organisation, le contrôle et la motivation. Parmi ces quatre habiletés, la motivation est la plus délicate et la plus vitale, car les trois autres fonctions en dépendent. La planification consiste à se donner des objectifs et à élaborer un plan d'action pour les atteindre. L'organisation est la répartition efficace des ressources – humaines, financières et matérielles – pour atteindre les objectifs poursuivis.

Quant au contrôle, il permet d'évaluer les résultats et de remédier aux situations qui ont produit des résultats non conformes aux attentes. La motivation, elle, conditionne le rendement des individus qui, à son tour, détermine l'efficacité avec laquelle le groupe ou l'organisation atteindra ses objectifs. En d'autres termes, les leaders doivent être des maîtres de la motivation. Une motivation déficiente engendre la dissension dans le milieu de travail, ce qui se traduit par une résistance collective, par de la confrontation, par un malaise profond et persistant, et par d'autres problèmes chroniques. Le concept de l'art de la motivation a considérablement changé au fil des ans. L'origine et l'évolution de la théorie moderne de la motivation représentent une histoire fascinante, en particulier l'émergence du mouvement des *relations humaines* dans les années 1930. Ce mouvement marqua un changement de cap radical par rapport aux idées de Frederick Winslow Taylor et d'autres théoriciens qui, au début du XXe siècle, croyaient que la meilleure façon d'augmenter la productivité consistait à améliorer les techniques et les méthodes de travail, ce qui donna naissance à l'*approche scientifique*.

On vit alors les entreprises, soucieuses d'améliorer leur rendement, analyser le temps et les gestes nécessaires à l'accomplissement d'une tâche. On réorganisa le travail en fonction du seul critère de l'efficacité. La mission du dirigeant consistait à veiller au respect des normes de rendement afin de rencontrer les objectifs organisationnels. Le dirigeant s'employait à combler les besoins de l'organisation; les employés, eux, devaient s'adapter à la gestion.

Toutefois, en 1924, tout changea à la suite d'une étude menée par des experts en productivité à l'usine Hawthorne de la Western Electric Company de l'Illinois. Cette étude fut une des plus importantes enquêtes jamais entreprises dans le domaine de la recherche en motivation. C'est en tentant de déterminer les conditions matérielles, les heures de travail et les méthodes de travail qui pourraient le mieux inciter les travailleurs à produire avec le maximum d'efficacité, que les chercheurs découvrirent une vérité fondamentale sur la motivation de l'être humain: les gens ont besoin de se sentir importants. Cette découverte survint presque par hasard; en effet, les experts en productivité désiraient étudier l'hypothèse voulant qu'un éclairage accru augmenterait la productivité des travailleurs.

Pour vérifier leur hypothèse, ils firent travailler un *groupe expérimental* sous différents degrés de luminosité, tandis qu'un *groupe témoin* travaillait sous l'éclairage habituel. Les chercheurs croyaient qu'une luminosité accrue hausserait la productivité du groupe expérimental, alors que la productivité du groupe témoin, travaillant avec une luminosité normale, demeurerait constante. Comme prévu, la productivité du groupe expérimental augmenta en fonction de la luminosité; cependant, les chercheurs découvrirent que la productivité du groupe témoin augmentait également et ce, malgré une luminosité normale. Perplexes, ils firent appel à Elton Mayo, de la Faculté des sciences de l'administration de l'université Harvard, pour les aider à analyser ces surprenants résultats.

Elton Mayo et son équipe notèrent que la productivité augmentait dans le sens voulu lorsqu'on améliorait les conditions de travail des employés, par exemple lorsqu'on accordait des périodes de repos, des repas payés et des semaines de travail plus courtes. Toutefois, lorsqu'on retirait ces avantages, non seulement la productivité se maintenait-elle, mais elle atteignait des niveaux records. L'explication était simple: ayant senti qu'on s'intéressait à eux, les employés avaient le sentiment d'être un rouage important de l'entreprise, qu'on leur accorde ou non des avantages matériels.

L'idée d'être considérés comme une équipe – comme les membres actifs d'un groupe de travail uni et convivial – faisait naître un sentiment d'appartenance, de compétence et d'accomplissement. Au cours des années qui suivirent, on vérifia encore et encore ce phénomène dans plusieurs environnements différents. Les résultats restaient identiques; de toute évidence, on ne pouvait plus ignorer l'aspect humain. C'est ainsi que naquit l'école des *relations humaines*.

Les travaux de William James, également de l'Université Harvard, fournissent une des démonstrations les plus éloquentes de l'importance vitale de la motivation dans les fonctions de direction. Monsieur James découvrit que les employés pouvaient régulièrement donner un rendement de 80 à 90% *s'ils étaient hautement motivés*, et qu'une baisse de la motivation entraînait une baisse de productivité comparable à celle provoquée par une main-d'œuvre peu qualifiée. De toute évidence, la motivation était une composante extrêmement importante de la gestion. Une autre question se posait: *Qu'est-ce* qui motive les gens?

Grâce au travail de bon nombre de chercheurs, nous en savons davantage non seulement sur la nature même de la motivation, mais aussi sur les éléments propres à motiver les gens. Par exemple, les recherches de monsieur Mayo ont débouché sur l'approche mise au point par Douglas McGregor et connue sous le nom de Théorie X et Théorie Y, aujourd'hui classiques. Douglas McGregor savait que les organisations traditionnelles, caractérisées par un processus décisionnel centralisé, par une pyramide supérieurs-subalternes et par un contrôle externe du travail, reposaient sur certaines croyances quant à la nature et la motivation de l'être humain.

Dans la théorie X, on suppose que la plupart des gens préfèrent être dirigés, veulent la sécurité, ne sont pas intéressés à assumer des responsabilités et sont motivés uniquement par l'argent, les avantages sociaux et la peur des sanctions. Comme les gens sont fondamentalement peu fiables, irresponsables, immatures et qu'ils ont besoin d'être encadrés, contrôlés et supervisés étroitement, les gestionnaires devaient d'abord et avant tout essayer d'encadrer, de contrôler et de superviser étroitement leurs employés.

Heureusement, Douglas McGregor savait que cette conception ne se vérifiait que pour un nombre restreint de travailleurs; beaucoup de gens sont capables d'agir avec maturité et désirent en faire la preuve. Cette conviction déboucha sur la Théorie Y qui veut que les gens, s'ils sont adéquatement motivés, peuvent se diriger eux-mêmes et faire preuve de créativité. Selon cette théorie, le rôle de la direction consiste à libérer ce potentiel; s'ils sont bien motivés, les gens sont mieux en mesure d'atteindre leurs objectifs personnels en concentrant leurs efforts sur l'atteinte des objectifs organisationnels.

Arrivèrent ensuite Abraham Maslow et sa théorie basée sur la hiérarchie des besoins tels que la sécurité, l'estime de soi et la réalisation de soi. Si l'approche de monsieur Maslow fut utile pour déterminer les besoins et les motivations, ce sont les travaux de Frederick Herzberg qui nous permirent d'en apprendre davantage sur les objectifs et facteurs de motivation propres à satisfaire ces besoins. Monsieur Herzberg élabora la théorie de l'*hygiène professionnelle et de la motivation* (mieux connue aujourd'hui sous le nom de théorie des deux facteurs), une exploration de la nature humaine, de ses motivations et de ses besoins.

À la base, Frederick Herzberg voulait amasser des données sur les attitudes au travail pour ensuite

27

formuler des hypothèses à propos du comportement humain. Il conclut que les gens avaient deux catégories différentes de besoins, distincts et indépendants les uns des autres, et qui influencent le comportement de différentes façons. Lorsque les gens étaient insatisfaits de leur travail, c'est qu'ils étaient préoccupés par leur *environnement* de travail. Lorsqu'ils aimaient leur travail, c'était à cause du *travail* lui-même. On appela la première série de besoins facteurs d'hygiène ou d'entretien: facteurs d'hygiène parce qu'ils décrivent l'environnement et ont pour but de prévenir l'insatisfaction; facteurs d'entretien parce que ces besoins doivent être satisfaits. Le deuxième groupe de besoins fut appelé facteurs de motivation, parce qu'ils incitent les gens à se dépasser.

Curieusement, si les facteurs d'hygiène et d'entretien éliminent le mécontentement et les contraintes liées au travail, ils incitent peu les individus à se dépasser. En revanche, les facteurs de motivation (reconnaissance des accomplissements, défis, responsabilités accrues, avancement et progression), engendrent un sentiment d'accomplissement et font augmenter la productivité. Ces découvertes ont été autant de percées pour les chercheurs en motivation, pavant la voie à Paul Hersey et Ken Blanchard et à leur théorie du *commandement de situation*, un modèle qui rend compte de l'interaction entre la quantité de directives et de conseils que donne un leader, ses faits et gestes dans ses rapports interpersonnels et le degré de maturité des travailleurs.

Toutes ces théories nous sont très utiles, dans le sens où elles fournissent un cadre à l'intérieur duquel on peut comprendre les besoins de l'être humain: par exemple, la théorie d'Abraham Maslow nous aide à cerner les besoins et les motivations, tandis que celle de Frederick Herzberg nous renseigne sur les objectifs et les facteurs de motivation qui tendent à satisfaire ces besoins.

Il est à la fois facile et fascinant d'observer l'art de la motivation à l'œuvre. Ayant œuvré dans l'enseignement et la gestion d'entreprise, j'ai côtoyé autant des étudiants que des gestionnaires d'entreprises qui ont eu l'honneur de figurer sur la liste des 500 plus importantes entreprises, publiée dans le magazine *Fortune*. Au fil des ans, j'ai travaillé dans le monde des affaires, de l'industrie et de l'enseignement; j'ai donné des cours de maîtrise et de doctorat; j'ai démarré ma propre entreprise. À partir de ces expériences, j'ai pu constater de visu que certaines théories ne correspondent plus à la nature de notre monde et de la main-d'œuvre d'aujourd'hui, et que d'autres théories n'ont jamais été bonnes pour les organisations ou leurs employés.

En effet, j'ai connu des entreprises où des gestionnaires mal avisés gaspillaient leur temps à faire miroiter à leurs employés des récompenses toujours plus grosses et plus alléchantes dans le seul but d'atteindre leur propres objectifs. De telles dépenses d'énergie ne font que pousser les employés à faire le strict nécessaire pour obtenir la récompense. À l'inverse, un maître de la motivation suscite chez les autres le désir de produire, d'accomplir, d'exceller, conditions essentielles à la progression en matière de profits, de productivité, de croissance et de changement positif.

La présence de bons leaders est d'une importance capitale dans le monde d'aujourd'hui. Nous sommes passés d'une société industrielle à une société de l'information dans laquelle l'activité principale des employés n'est plus le travail physique, mais le travail intellectuel; nous vivons maintenant dans une société basée sur la technologie, amplifiée et accélérée par des percées scientifiques et technologiques continuelles; nous vivons dans une économie globale, elle-même caractérisée par le changement rapide; tout cela requiert un nouvel état d'esprit et de nouvelles compétences dans tous les secteurs de la main-d'œuvre. Un marché du travail caractérisé par l'innovation, le changement, la vitesse, la nouveauté, la compétitivité, la diversité, le stress et la pression exige de tous les employés une grande autonomie personnelle, de la débrouillardise, du jugement, la capacité de gérer ses propres affaires, le sens des responsabilités et de l'initiative.

Par ailleurs, ces exigences puisent abondamment dans nos ressources affectives et psychologiques, mais elles sont essentielles à notre adaptation à un monde du travail de plus en plus complexe et compétitif. Seuls les dirigeants qui savent encourager plutôt que commander, et diriger plutôt que contraindre, pourront mener les autres vers ce nouvel univers du travail. Le monde du travail d'aujourd'hui a besoin de dirigeants capables de rallier les troupes et de les pousser à se dépasser, mais sans les épuiser.

S'il est facile de comprendre pourquoi il faut être un maître motivateur, reste à savoir *comment en devenir un*. La clé d'une gestion efficace de soi ou des autres ne se résume pas à une technique ou à une recette; elle est *intrinsèque*. En effet, la motivation commence par l'introspection, par l'examen de soi. Comme le dit mon ami Stephen Covey, elle doit d'abord venir «de l'intérieur». La clé réside dans la connaissance de soi. Un maître motivateur scrute d'abord ses propres motivations, besoins et désirs.

On reconnaît facilement les maîtres de la motivation: règle générale, ce sont des êtres doués qui manifestent de l'enthousiasme, de l'ardeur et du plaisir, et qui vivent une vie sans cesse plus riche et plus pleine – une vie qui, devrais-je ajouter, est on ne peut plus équilibrée. Qui plus est, le maître motivateur a à cœur non seulement sa propre croissance, mais également celle des autres. Le maître motivateur est entouré d'admirateurs (jeunes et vieux) qui peuvent témoigner des nombreuses pistes qu'il leur a ouvertes. Le maître motivateur sait comment trouver la plénitude, et il sait comment aider les autres à la trouver.

Les auteurs de ce livre sont de cette trempe: deux maîtres de la motivation. Si leurs styles sont aussi différents que le jour et la nuit, ils savent tous deux comment faire naître la passion chez les autres. Ils exercent leur leadership avec passion, car pour eux la motivation consiste: (1) à susciter chez les autres le désir d'exceller sur le plan personnel; (2) à leur faire comprendre qu'ils sont les membres importants d'une équipe; et (3) à stimuler leur imagination afin qu'ils puissent profiter de l'abondance qui résulte tout naturellement des deux premiers points.

Je connais personnellement Joe D. Batten et Mark Victor Hansen. Sont-ils à la hauteur? Sont-ils des maîtres de la motivation? Il y a plusieurs années, alors que je travaillais dans le monde de l'éducation, on me décerna le titre d'«enseignante de l'année». Cet honneur me donna l'occasion de prononcer une conférence devant la Chambre de commerce. Une fois mon allocution terminée, j'aperçus un homme distingué s'approcher de moi. Il me dit en souriant: «Un jour, j'aimerais que vous veniez travailler pour moi. Voici ma carte de visite. Prenez le temps de vous renseigner sur *notre* entreprise et si cela vous intéresse, venez me voir.» C'est par ces quelques mots que Joe D. Batten – président et chef de direction de Batten, Batten, Hudson et Swab (BBH&S), un cabinet de consultants en organisation qui œuvre auprès d'entreprises faisant partie du Fortune 500 – m'ouvrit des avenues auxquelles je n'avais jamais songé auparavant.

Mais ce maître motivateur allait encore croiser ma route. En effet, quelques années après cette première rencontre, alors que je venais de terminer une thèse de doctorat sur l'organisation et le leadership, un professeur me suggéra d'étudier les caractéristiques de trois entreprises parmi les plus rentables de la région, en apportant une attention particulière à leurs dirigeants. Bizarrement, je ne fus guère surprise de voir de nouveau le nom de Joe D. Batten.

Les années passèrent. Je m'intéressai de plus en plus aux similitudes et aux différences qui existaient entre le monde des affaires, celui de l'industrie et celui de l'éducation. Jusque-là, j'avais occupé des postes de direction dans le secteur de l'éducation et dans la fonction publique, et la dynamique du monde des affaires m'intriguait. Un jour, désireuse de faire travailler mes neurones, je revêtis mon tailleur bleu marine et j'allai frapper à la porte de BBH&S. Il y avait là une entreprise dotée d'un maître motivateur, d'un homme qui dirigeait comme s'il n'avait pas de titre et dont la force résidait dans la qualité de ses idées qu'il exprimait en donnant l'exemple.

Il y avait là une entreprise dont le personnel se composait d'hommes et de femmes compétents, dégourdis et enthousiasmés par leurs objectifs – des objectifs de taille. Il y avait là un environnement où les énoncés de mission faisaient partie du quotidien de l'entreprise. Il y avait là un maître motivateur qui exigeait l'excellence et qui savait comment l'insuffler à ses employés. Chez BBH&S, mes neurones reçurent un véritable entraînement. Je décidai d'entrer au service de cette entreprise et j'y restai plusieurs années. Encore aujourd'hui, en 25 ans de carrière, cette expérience reste une des plus dynamiques et enrichissantes de ma vie.

Les maîtres de la motivation ne sont pas tous faits sur le même moule. Mark Victor Hansen est un maître motivateur d'un autre genre. Ce qui le motive, c'est l'art de la vente. Et pour lui, seul le plaisir permet d'y accéder. J'ai rencontré Mark il y a 16 ans, alors qu'on me décernait un prix pour je ne sais trop quoi. Si j'ai oublié la raison de ce prix, je me souviens très bien de la personne qui me l'a remis, un homme plein d'énergie, de force et d'entrain. Même s'il me connaissait seulement par mon travail, il me présenta à l'auditoire avec des mots et des gestes irrésistibles, affectueux et distingués comme jamais je n'en avais entendus et vus.

Il visait ce jour-là toujours le même objectif: apprendre à connaître quelqu'un, s'en faire un ami, l'appuyer et lui demander un appui réciproque, sans oublier évidemment de s'amuser. Il n'est guère étonnant que ce maître motivateur ait eu l'idée de réunir dans un même ouvrage une série d'histoires recueillies auprès de ses amis et de ses collègues de partout dans le monde et qu'il ait fait de cet ouvrage (*Bouillon de poulet pour l'âme*, écrit en collaboration avec son ami Jack Canfield) et de sa suite (*Un 2e bouillon de poulet pour l'âme*) deux best-sellers sur la liste du *New York Times*.

Mais le plus beau dans tout cela, c'est que Mark a tellement de plaisir à vivre, tout simplement, que les gens qui l'entourent partagent son plaisir, sachant que son bonheur d'être en leur compagnie est égal à leur propre plaisir de le côtoyer. Ne vous étonnez pas si, un beau jour où vous vous reposez sur une plage, Mark vous aborde et, au fil de la conversation, vous vend les cailloux et les coquillages éparpillés sur le sable, échafaude un plan de distribution de masse et vous persuade que votre nouvelle entreprise vous procurera un plaisir inégalé. Mark est sans conteste le meilleur vendeur de la planète, s'amusant à jouer le rôle de sa propre vie. Ses besoins et ses objectifs sont simples: il veut trouver le moyen de faire profiter ce monde à l'humanité tout entière. Et il veut que vous soyez de la partie.

Joe et Mark: deux styles différents, mais la même passion et la même capacité de motiver. Ces deux maîtres de la motivation savent exactement comment insuffler aux autres le désir de l'excellence. C'est le sujet même de ce livre. Dans le présent ouvrage, vous rencontrerez Doug Sanchez et vous l'accompagnerez dans une aventure extraordinaire au cours de laquelle, du bon gars bien ordinaire qu'il était, il devient un maître motivateur. Son histoire montre comment traduire en actes la recherche de l'excellence personnelle et professionnelle, et comment créer et partager l'abondance qui apparaît lorsque les gens sont motivés à donner le meilleur d'eux-mêmes.

Bettie B. Youngs, Ph.D., Ed.D.,
auteure de *Values from the Heartland*

Chapitre 1

Doug se souvient

La pièce était chargée d'une électricité presque magique et l'atmosphère vibrait d'énergie et d'impatience. Le grand soir était arrivé. Tout le monde trépignait d'excitation. Les dirigeants et le personnel d'une entreprise de renom, accompagnés de leurs conjoints, étaient rassemblés pour le gala annuel de remise des prix. On aurait dit la soirée des Oscars. Des chuchotements pleins d'appréhension remplissaient l'air tandis que les spéculations allaient bon train quant à l'identité des gagnants.

Les trophées resplendissants étincelaient sous l'éclairage halogène. Ils seraient remis aux récipiendaires des catégories «Vendeur tout-étoile», «Bâtisseur d'entreprise», «Sécurité totale» et «Productivité maximum». Toutefois, le trophée le plus convoité était celui d'une nouvelle catégorie: «Maître motivateur».

Les applaudissements se faisaient de plus en plus nourris à mesure que les vedettes de l'entreprise se succédaient sur la scène pour recevoir la reconnaissance, les éloges et les trophées toujours plus désirés qui soulignaient leur extraordinaire performance. Tout au long de la soirée, les hommes et les femmes de cette entreprise furent enchantés de voir défiler sous leurs yeux des êtres remarquables dont on récompensait le travail acharné, le dévouement et la compétence exceptionnelle.

La tension atteignit son paroxysme quand approcha le moment de décerner l'ultime trophée. C'était le chef de la direction, Brad Boulder, qui le présenterait personnellement à son récipiendaire.

Brad se leva pour rendre hommage au gagnant. Il fit une pause, sourit et laissa durer le suspense. Puis, il annonça: «J'ai l'immense plaisir de présenter ce trophée pour la première fois. Vous savez, l'avenir de notre entreprise repose entièrement sur la connaissance et la mise en pratique de la motivation individuelle.

«Nous avons tous observé avec bonheur l'évolution de notre récipiendaire, son cheminement et son plaisir à s'améliorer sans cesse. Il est aujourd'hui devenu un maître motivateur! C'est avec joie que je présente le trophée de cette année à une personne remarquable... Son nom est Doug Sanchez!»

Le visage de Doug resplendit tel celui d'un ange alors qu'il s'avança d'un pas léger pour accepter son trophée bien mérité. On lui fit une retentissante ovation. Tous avaient appris à aimer, à honorer, à respecter, à admirer et à apprécier la transformation spectaculaire de Doug.

Après la soirée, en route vers leur domicile, Doug et son épouse Marya étaient transportés de joie. Marya dit: «Doug, nous venons de vivre la plus belle année de notre vie. Elle a filé si vite que ses 365 jours m'ont paru durer 365 secondes. Tu l'as commencée à la manière d'une chenille. Ton attitude et ton énergie étaient des plus négatives. Puis tu es entré dans un cocon magique où tu as appris des idées, des attitudes et des principes nouveaux. Et tu en es sorti tel un magnifique papillon qui rayonne d'amour, de joie, de bonté, de sagesse et de haute estime de soi. Les enfants et moi aimons ce qu'il est advenu de toi et de nous. Tu es un meilleur homme d'affaires, un meilleur leader, un meilleur père et un meilleur mari. Je suis tellement fière de toi. Félicitations et merci, mon chéri.»

Marya s'adossa, l'air songeur. Puis, elle sourit.

«Dis donc, as-tu vu le mentor qui était assis dans un coin? Il avait l'air vraiment ravi lorsque tu t'es levé pour aller chercher ton prix.»

Doug acquiesça, le sourire aux lèvres. Quelques minutes plus tard, il gara la voiture dans l'entrée. Main dans la main, Doug et Marya entrèrent dans leur belle maison. Doug s'étira avec volupté dans son fauteuil et desserra son nœud de cravate. Après quelques minutes de silence complice, Doug se redressa. «Marya, c'est vrai que tout cela est difficile à croire. Je me rappelle très bien comment tout a commencé...»

Chapitre 2

La découverte de soi

*J'ai l'impression de tourner en rond, au travail comme
à la maison,* pensait Doug. «Un flottement général» est
une expression qui décrirait bien comment il se sentait. Dans la mi-trentaine, il ne savait pas non plus s'il
était vraiment un bon père et un bon mari. Il aimait
son épouse, Marya, mais il ne sentait pas aussi proche
d'elle qu'il aurait dû. Il ne lui confiait aucun de ses
rêves et aucun de ses objectifs... peut-être parce qu'il
ne savait pas trop ce qu'ils étaient réellement. Son fils,
Dan, et sa fille, Sandi, étaient de «bons enfants», mais
leur vie de famille ne semblait pas avoir de vrai sens
ni de véritable but. Il ressentait la même chose à
l'égard de son travail.

Peu après cette auto-évaluation, Mark Jackson
estima avec lui son rendement au travail. «Doug»,
dit-il, «je crois déceler chez toi un grand potentiel,
mais il faudrait que tu apprennes à te motiver et à
motiver les autres. Tu possèdes une solide expérience,
une bonne formation et aucun handicap sérieux, mais
tu ne montres ni progression, ni amélioration; et si tu
ne fais rien à ce sujet, nous ne pouvons pas t'accorder
de promotion. Tu diriges bien ton service, je crois,

mais j'ai l'impression que ton équipe est à la dérive, sans véritable orientation.

«Si tu le permets, je vais prendre des arrangements pour que tu aies quelques entretiens avec une personne que je surnomme le mentor. Acceptes-tu de le rencontrer demain à mon bureau? Je t'en saurais gré.»

Doug haussa les épaules: «Je veux bien essayer.» En sortant du bureau de Mark Jackson, Doug eut l'impression que son esprit et son âme souriaient et chantaient. Et son monologue intérieur amplifiait cette sensation.

Wow! J'ai un énorme potentiel, se répéta-t-il. *Mark décèle chez moi quelque chose que je ne vois pas. C'est la première fois que quelqu'un me parle ainsi. S'il croit que je peux réussir, c'est que j'en suis capable.*

Le lendemain matin, quand Doug entra dans le bureau du mentor, il ignorait ce qu'il l'attendait. Il se sentait vaguement nerveux, mal à l'aise. Il savait par ouï-dire que le mentor était capable de découvrir le potentiel enfoui chez ses élèves et qu'il les prenait en charge jusqu'à ce qu'ils éclosent, grandissent et parviennent à maturité. Doug espéra être digne d'une telle attention, car il désirait ardemment de nouveaux horizons.

Le mentor commença l'entretien par un nombre incalculable de questions. Des questions de toutes sortes. Il se montra sincèrement intéressé par ce que Doug ressentait. Quels étaient ses espoirs, ses rêves, ses craintes, ses frustrations? Le mentor avait des gestes débordants de bienveillance et il savait écouter. On pouvait voir à ses yeux qu'il absorbait patiemment chaque nuance et chaque mouvement qui accompagnaient les réponses de Doug qui, de son côté, trouva facile de s'épancher dans le cadre d'un interrogatoire aussi habile sur son passé, son présent et son avenir. Le mentor voulait découvrir jusqu'où les rêves de Doug pouvaient le mener. «Je pense que rien ne me rendrait aussi heureux que de pouvoir influencer et diriger les autres de façon constructive. J'aimerais vraiment devenir très, très bon dans ce domaine. Je crois honnêtement que ce serait cela la vraie réussite pour moi.»

En souriant, le mentor dit: «Parfait, Doug, nous allons maintenant examiner ensemble une stratégie globale qui permet de devenir un excellent motivateur.»

Le mentor regarda Doug droit dans les yeux. «Premièrement, tu dois te motiver toi-même. Pour ce faire, tu dois comprendre cette citation célèbre de Charles «Le Magnifique» Jones: «Dans cinq ans, tu seras la même personne qu'aujourd'hui, sauf en ce qui concerne les personnes que tu rencontreras, les livres que tu liras, les cassettes que tu écouteras.*» À cela, nous pouvons ajouter «les films que tu regarderas». Pour réussir, il n'y a pas meilleur raccourci que le tutorat d'un professeur compétent et inspirant, en l'occurrence un mentor. Un mentor, c'est comme un formateur personnel qui te lance des défis, t'inspire, te stimule afin que ton potentiel tout entier se manifeste. Je serai ton premier vrai mentor. Tu découvriras ensuite toute la vérité de ce vieux cliché: «C'est lorsque l'élève est prêt que le maître (mentor) apparaît.» Tu auras plusieurs autres mentors dans les années à venir; et, durant cette période, tu garderas le cycle

---

* Extrait du livre *La vie est magnifique* publié aux éditions Un monde différent.

vivant, tu le perpétueras, tu l'enrichiras en devenant le mentor d'autres élèves de mérite.

«Deuxièmement, j'ai préparé pour toi une liste de livres à lire. (*Voir* Lectures suggérées *à la fin de ce livre*). Ces 12 livres contiennent de grandes idées qui t'amèneront à te motiver toi-même, puis à motiver les autres de façon constructive et efficace. Impose-toi la discipline d'accorder à ces lectures au moins une demi-heure par jour, de préférence en début de journée. Lève-toi 30 minutes plus tôt. Par ailleurs, pour chaque livre, j'ai écrit une phrase à propos de ce que je souhaite t'y voir découvrir. Nous en discuterons ensuite en profondeur. Ton esprit doit s'approprier ces concepts.

«Pour ce faire, suis les recommandations de chaque livre et mets-les en pratique au fur et à mesure. Relis les livres et discute avec ta femme, tes enfants, tes collègues et ton équipe de ce que tu as appris, découvert et compris. Cette reformulation de tes apprentissages te motivera et motivera ceux que tu diriges. En te rendant au travail le matin, n'écoute que des cassettes qui motivent, enseignent et inspirent. Tous les motivateurs ont besoin d'être motivés. En somme, consacre tout ton temps libre à la lecture.»

Le mentor se tourna vers le rétroprojecteur et y plaça un transparent intitulé «Plan de motivation individualisée».

Le mentor poursuivit: «Comme tu peux voir, nous avons commencé par discuter de la découverte de soi au moyen de livres et de cassettes et avec mon aide. Jetons maintenant un coup d'œil sur les huit étapes présentées dans ce plan.» Après les avoir passées en revue, il ajouta: «Bon, tout au long de nos rencontres, tu auras des devoirs à faire; mais d'abord, revoyons certains éléments...»

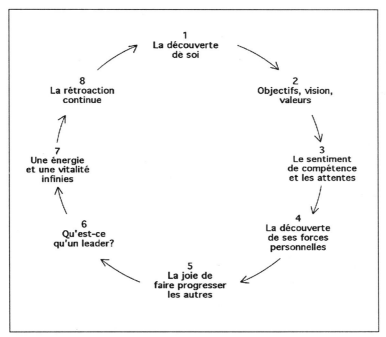

Figure 1 Plan de motivation individualisée

1. Je connaîtrai davantage mes forces et mon potentiel.

2. Ma vie personnelle et ma vie professionnelle auront un sens et un but.

3. Je m'assurerai que les personnes que je motive sentent qu'elles existent et qu'elles soient centrées sur des objectifs.

4. J'aiderai les personnes que je motive à découvrir leurs forces et leur potentiel.

5. Je m'assurerai que les personnes que je motive découvrent le bonheur de construire et de créer.

6. Je dirigerai et j'encouragerai les autres plutôt que de les contraindre et de les rabaisser.

7. Je m'efforcerai d'aider mes collègues à se réaliser pleinement.
8. J'évaluerai constamment les progrès de ceux que je motive.

Besoins et désirs

«Les besoins sont bien sûr très importants», dit le mentor. «Toutefois, les besoins et les désirs conditionneront et influenceront ce dont tu crois avoir besoin. Tes besoins et tes désirs sont à la base de tes *intentions*. Le sens véritable de la motivation ou d'une action intentionnelle exige que tu acquières une série d'intentions limpides afin de poser par la suite les gestes nécessaires pour passer à l'action.» (*Voir* le glossaire).

Doug secoua la tête d'admiration: «Donc, voilà ce qu'*est* la motivation!». Il était renversé de la façon du mentor d'utiliser un mot simple, que lui-même employait dans son sens premier, pour lui donner un tout nouveau sens. Jamais plus Doug ne penserait au mot motivation avec la même désinvolture.

Peurs et mécanismes de défense

«Il y a plus», ajouta le mentor. Tes peurs et tes mécanismes de défense constituent les plus gros obstacles à l'épanouissement de ton potentiel.

«Tu dois percevoir et comprendre clairement ce que tu crains dans tous les aspects de ta vie. Vois-tu, lorsqu'on avance avec des mécanismes de défense en alerte, on ne peut progresser, créer, s'intéresser aux autres ou entrer en contact avec eux. Or, les relations interpersonnelles sont essentielles à la motivation.»

Doug resta songeur. «Je commence à comprendre que j'ai beaucoup à apprendre sur moi-même. Je dois commencer à explorer mon monde intérieur.»

Le mentor esquissa un sourire. «Doug, tu as parfaitement raison et je suis convaincu que c'est ce tu feras.»

« Je suis quelqu'un de bien! »

Le mentor posa quelques questions supplémentaires à Doug et découvrit, comme il le soupçonnait, que Doug était beaucoup plus conscient de ses faiblesses que de ses forces. Bref, Doug se considérait comme une personne «ordinaire» – comme beaucoup de gens d'ailleurs.

Le mentor savait que Doug devait commencer à percevoir, à sentir et à apprécier ce qu'il y avait de bon en lui. Malheureusement, son passé et son conditionnement l'en empêchaient. Le mentor demanda donc à Doug d'affirmer à voix haute: *«Je possède tout ce qu'il faut!»* «*Je suis quelqu'un de bien*», «*Je ne suis pas n'importe qui!*» «*Je change quelque chose dans la vie des autres*». Au début, Doug se sentit gauche et ridicule. Puis, peu à peu, il trouva que ces affirmations le rendaient plus fort et que, grâce à elles, il se sentait de mieux en mieux.

Être prêt à oser

Le mentor demanda à Doug s'il tenait suffisamment à son travail, à sa famille et à lui-même pour oser prendre certains moyens d'action menant à la découverte de soi. Désormais emballé par tout le processus, Doug accepta de le faire avant leur prochaine rencontre. Pour lui, ces exercices n'étaient pas des «corvées», mais «l'œuvre de toute une vie».

Moyens d'action

* Écrivez les cinq choses que vous voulez et désirez le plus dans la vie.

_____

_____

_____

_____

_____

_____

_____

* Écrivez les cinq choses que vous craignez le plus dans la vie.

_____

_____

_____

_____

_____

_____

_____

- Écrivez dix *bonnes* choses sur vous.

_____

_____

_____

_____

_____

_____

_____

_____

	OUI	NON
• Je considère chaque personne qui travaille avec moi comme une source de forces.	_____	_____
• Dès maintenant, je m'attendrai à ce que tous les membres de mon équipe donnent le meilleur d'eux-mêmes.	_____	_____
• Dès maintenant, je m'efforcerai de surprendre les membres de mon équipe à faire quelque chose de bien.	_____	_____
• Je commencerai à chercher en moi des qualités à apprécier.	_____	_____
• Je commencerai à chercher chez les autres des qualités à apprécier.	_____	_____
• Je commencerai à me percevoir comme quelqu'un de *bien* en tout temps. J'inclurai dans mon vocabulaire le mot «bien».	_____	_____

Bilan de ma situation personnelle

Ce que je cherche *(Besoins et désirs)*	Ce que je fuis *(Peurs et mécanismes de défense)*

Découverte de soi : bilan

Mes plus grandes forces	Mes plus grandes faiblesses

« L'amour naît quand une personne sent que les besoins de l'autre sont aussi importants que ses besoins propres. »

Harry Stack Sullivan

Chapitre 3

Objectifs, vision et valeurs

Plus Doug s'entretenait avec son mentor, plus les huit étapes du plan de motivation individualisée (figure 1, page 43) prenaient forme. Il se mit à les mettre en pratique avec tous les employés de son service. Plus il étudiait, expérimentait et assimilait le contenu du présent ouvrage, plus ses rapports avec les membres de son équipe progressaient. Parfois, il échouait, mais il retroussait ses manches et discutait avec son mentor des progrès accomplis. En s'efforçant de motiver tous les employés de son service, il fut capable d'abord de les aider à se découvrir, ensuite de les amener à véritablement comprendre ce qui les motivait et les entraînait.

Contempler l'arc-en-ciel

Un soir qu'elle rangeait la salle de séjour, Marya fredonna ces quelques mots d'une chanson: «Contemple l'arc-en-ciel qui mène à tes rêves. Suis celui qui poursuit un rêve.» Doug, qui lui donnait un coup de main, s'exclama avec enthousiasme: «Cette chanson va tout à fait dans le sens du plan de motivation. L'arc-en-ciel de nos vies, ce sont les *visions* qui nous habitent et les *objectifs* qui sous-tendent les *intentions* derrière nos actions.»

Doug se demanda comment il pourrait utiliser l'image de l'arc-en-ciel avec les membres de son équipe. Pour les aider à formuler et exprimer leurs propres visions et objectifs, il se mit à leur poser des questions et à les écouter avec attention.

Peu à peu, il prit conscience que la valeur globale d'une personne égalait la somme de toutes ses valeurs individuelles, et que la valeur globale du service qu'il dirigeait égalait la somme des valeurs que tous et chacun amenaient, transmettaient et mettaient en pratique. Il prit donc la résolution d'évaluer les valeurs de chaque membre de son équipe.

Vulnérabilité est synonyme d'invincibilité

Petit à petit, Doug comprit que les membres de son équipe gagneraient en force et en vivacité et qu'ils seraient plus vulnérables et plus ouverts au changement s'il essayait continuellement de «les surprendre en train de faire quelque chose de *bien*». Le mentor disait: «L'éloge mérité procure autant de bien-être à celui qui le fait qu'à celui qui le reçoit.»

À son grand étonnement, il découvrit que ce puissant outil de motivation – l'éloge mérité – pouvait être mis en pratique n'importe quand et n'importe où, qu'il suffisait de s'en donner la peine. Qui plus est, cette habitude était une source de plaisir, car Doug recevait en retour la satisfaction des membres de son équipe.

Doug fut également frappé par le concept «vulnérabilité est synonyme d'invincibilité». Selon le mentor, lorsqu'une personne se montre prudente et invulnérable, elle perd sa vitalité et cesse de croître. En revanche, si elle est ouverte et vulnérable, elle laisse entrer la vérité et la candeur, comme autant de repères lumineux sur le chemin de la croissance.

Bienveillance, partage et audace

Au cours d'un de ses entretiens avec le mentor, Doug se dressa sur son fauteuil en entendant ces paroles: «As-tu suffisamment de *bienveillance* pour *partager*, pour *oser* et pour être *conscient* des objectifs et des possibilités d'autrui, peu importe les circonstances?»

Un code de valeurs

C'est de la dynamite, se dit Doug. Je vais en discuter avec Marya, Dan et Sandi. Cela ferait un excellent point de départ pour l'énoncé de mission familiale dont nous avons discuté. Si je peux acquérir la confiance et la sensibilité nécessaires pour mettre cela en pratique en tout temps, j'ai le sentiment que ma vie en sera enrichie.

Le mentor acquiesça: «La conscience des objectifs et des visions de ton entourage enrichit non seulement ta vie, mais aussi celle de ta famille.»

Doug grimaça un sourire au mentor: «Bien entendu, et votre façon de dire les choses est tellement claire. Ce que vous venez d'exprimer me motive vraiment.»

Doug demanda au mentor de l'aider à formuler ses objectifs, ses valeurs et sa vision. Comme point de départ, le mentor lui suggéra ce qui suit:

Moyens d'actions

	OUI	NON
• Je considère chaque personne qui travaille avec moi comme une source de forces.	_____	_____
• Exerces-tu ton leadership non pas en vertu de ta position d'autorité, mais selon la seule force de tes idées exprimées dont tu donnes l'exemple?	_____	_____
• Examineras-tu en détail les objectifs à long terme de ta vie pour ensuite les mettre sur papier?	_____	_____
• Examineras-tu en détail les objectifs à moyen terme (annuels) de ta vie pour ensuite les mettre sur papier?	_____	_____
• Feras-tu en sorte que tes collègues sachent toujours d'avance ce que tu attends d'eux à la fois en matière de comportement et de rendement au travail?	_____	_____
• Prendras-tu l'engagement de donner à ton équipe ton propre comportement en exemple en toutes circonstances?	_____	_____

---

*« Les quatre étapes menant au succès :
planifier soigneusement, se préparer
avec rigueur, passer à l'action
de façon constructive
et persévérer avec acharnement. »*

William A. Ward

Chapitre 4

Le sentiment de compétence et les attentes

Un soir, Sandi faisait ses devoirs sur la table de la cuisine tandis que Doug préparait le dîner. Elle déposa son crayon et regarda par la fenêtre pendant quelques instants. Puis, elle demanda: «Papa, comment savoir si j'existe vraiment, si mon existence compte réellement?». Doug, qui avait pris beaucoup d'assurance dans son rôle de motivateur, répondit sans hésiter: «Sandi, penses-tu que tu aides tes camarades de classe et les membres de ta famille à se sentir mieux dans leur peau?»

Après un moment de réflexion, elle répondit: «Oui, je crois.» Doug interrompit son travail et s'assit en face de sa fille. Il sourit affectueusement et dit: «Par conséquent, tu *existes* et ta présence *compte*. Plus tu enrichiras la vie des autres, plus tu enrichiras ta propre vie et plus ton existence aura un sens.

«Merci papa», dit Sandi, rayonnante de fierté.

Un peu plus tard, Doug vit à quel point cette vérité s'appliquait aux membres de son équipe et il jura de faire de son mieux pour les aider à sentir qu'ils *existaient* et que leur existence *comptait*.

Progresser en se dépassant

Pour renforcer un muscle et améliorer son endurance, il faut l'étirer et l'exercer. C'est toujours vers la fin d'une séance d'exercices, quand on est à la limite de son endurance, qu'on fait le plus de progrès. Toutefois, ces progrès régressent si on laisse le muscle se reposer trop longtemps. De même, la véritable motivation n'est possible que si on poursuit sans relâche et avec persistance des objectifs qui exigent des efforts et du dépassement.

Doug savait qu'une de ses employés, Laura Bosco, travaillait tout juste assez fort pour garder son emploi; elle pouvait, et devait, être plus productive. Après avoir examiné les étapes du plan de motivation individualisée, Doug conclut qu'il lui fallait hausser ses *attentes* à l'égard de Laura. Il décida de lui proposer deux démarches: d'abord, faire part à Laura, de façon positive, des attentes qu'il avait à son endroit; ensuite, l'amener vers une vision nouvelle et irrésistible de ce qu'elle pourrait être.

Le rendement de Laura changea très peu. Doug en resta perplexe. Par la suite, il se rappela qu'il avait *dit* quelles étaient ses attentes face à Laura, sans rien lui *demander*. Doug s'était attendu à plus alors qu'il n'avait pas encore mis en pratique les étapes des chapitres 1 et 2.

Doug avait sans cesse essayé de surprendre Laura en train de faire quelque chose de *mal*, au lieu d'essayer de la surprendre à faire quelque chose de *bien*. Une idée simple et profonde à la fois. Il changea donc son approche et le rendement de Laura se mit à s'améliorer. Elle travaillait de mieux en mieux. Doug était un meilleur motivateur, mais il lui restait tant de choses à apprendre.

L'être avant l'agir

Lorsqu'il passa en revue les premières étapes du plan de motivation individualisée, Doug se rendit compte qu'en aidant Laura à découvrir ce qu'elle voulait *être*, il l'aidait à améliorer ce qu'elle *faisait*. Doug posa à Laura toutes les questions suggérées dans les chapitres 2 et 3, puis il l'*écouta* attentivement. Il posa ces questions et écouta. C'est à partir de ce moment que la vitalité et l'engagement de Laura augmentèrent. Laura se sentait de plus en plus *importante* et ce sentiment se traduisait par un meilleur rendement au travail.

En même temps qu'il découvrit qu'il obtenait de meilleurs résultats en demandant plutôt qu'en disant, Doug constata aussi tout le pouvoir des attentes claires face à une personne. Se borner à dire, c'est se borner à obliger et à commander. C'est rabaisser les autres. Bref, c'est *donner des ordres*! Lorsqu'on demande, par contre, on donne de l'importance à l'autre, on lui confère des capacités. On utilise des *attentes* plutôt que des *exigences*. Doug comprenait de mieux en mieux le dicton: «Nous sommes à la mesure de nos attentes.»

Le mentor suggéra à Doug d'afficher le message suivant dans des endroits visibles au travail et sur un mur de son bureau:

> *L'un des plus beaux cadeaux à offrir à quelqu'un, c'est d'entretenir à son égard des attentes de dépassement qui tendent vers l'excellence et poussent à rechercher sans fin ses forces présentes et à venir.*

Le mentor demanda alors à Doug de réfléchir longuement aux questions suivantes, puis d'y répondre:

Moyens d'actions

	OUI	NON

* Vous efforcerez-vous de dire aussi souvent
que vous le pouvez: «Je t'apprécie et
j'apprécie tes capacités»?

Si oui, pourquoi? _____

_____

_____

_____

_____

Si non, pourquoi? _____

_____

_____

_____

* Êtes-vous d'accord avec l'énoncé suivant:
«Lorsqu'on se concentre sur ses forces
et qu'on entretient des attentes de
dépassement claires, on augmente le
sentiment de compétence de la personne
qu'on motive, son estime de soi, sa
dignité et son individualité»?

Si oui, pourquoi? _____

_____

_____

_____

_____

Si non, pourquoi? _____

_____

_____

_____

_____

- Croyez-vous à cet énoncé: «Lorsqu'on
  détermine clairement ses attentes à
  l'égard de quelqu'un, on puise à la
  source même de sa motivation?»   _____   _____

Si oui, pourquoi? _____

_____

_____

_____

_____

Si non, pourquoi? _____

_____

_____

_____

_____

- Réfléchissez bien avant de remplir cette section.

Voici les attentes les plus importantes que j'ai à mon endroit:

_____

_____

_____

_____

Voici les attentes les plus importantes que j'entretiens à l'égard de ceux que je motive:

_____

_____

_____

_____

_____

Élaborez un ensemble d'attentes claires et détaillées dans le but de déterminer, de stimuler et d'utiliser les forces de toutes les ressources d'une organisation — la plus importante étant les gens qui la composent.

Cherche chez les autres leurs forces plutôt que leurs faiblesses, ce qui est bien plutôt que ce qui est mal; en règle générale, on ne trouve que ce que l'on cherche.

Anonyme

Chapitre 5

La découverte de ses forces personnelles

Les forces de Doug augmentaient à mesure qu'il les découvrait, les reconnaissait et les acceptait. Il avançait pas à pas et renforçait petit à petit son assurance et son estime de soi. Peu à peu, il vit que sa force intérieure, sa puissance et son talent étaient immenses; son moi intérieur était infiniment compétent, capable et aimant. Peu importe où il posait les yeux, il ne voyait que des choses possibles. La vie devenait une aventure sans fin!

La réalité de nos existences

Plus Doug apprenait à voir, à sentir et à utiliser, de façon modérée et graduelle, les forces et les ressources intérieures qu'il venait de se découvrir, plus celles-ci croissaient. Mieux encore, en se les appropriant, il devenait capable de les transmettre et de les enseigner aux membres de son équipe. Plus les attentes qu'il entretenait à son propre égard étaient grandes, plus il était en mesure d'avoir des attentes envers les autres. Comme Doug avait maintenant le sentiment d'être une personne importante, il pouvait davantage aider les autres à découvrir leurs forces et à se sentir important. Il jouait un rôle clé et tous ceux avec qui il entrait en contact, parlait ou s'associait, faisaient de même et plus encore. Doug sentait qu'il réussissait.

Le début d'une quête sans fin

Doug rencontra un à un tous les membres de son équipe afin de les encourager à tenir un «journal d'évolution». Il leur demanda de noter dans leur journal respectif toutes les forces qu'ils voyaient en eux-mêmes, puis d'en ajouter une nouvelle chaque semaine pendant un an. Quand une personne réfléchit à ses forces, celles-ci se développent rapidement, telles les tulipes au printemps. Le mentor confia à Doug que certaines personnes continuaient de tenir leur «journal d'évolution» pendant des années et que ce travail personnel produisait des résultats extraordinaires et bénéfiques sur tous les plans.

Doug avait beaucoup entendu parler d'une démarche qui consistait à se «réinventer» soi-même et à réinventer son entreprise. Il avait également entendu parler d'organisations qu'on appelait «organisations autodidactes». Doug était en train de se réinventer et de réinventer son équipe. Il apprenait et il créait sa propre organisation autodidacte, telle une université disponible sur demande qui livrait un enseignement adapté au rythme de l'étudiant.

Doug avait lu que l'entreprise était l'université de demain. Il en était maintenant convaincu. Son esprit était en pleine ébullition. Il se sentait invincible. Chaque jour, en se rendant au travail en voiture, il écoutait pendant une demi-heure des cassettes qui l'inspiraient, l'instruisaient et le motivaient. Il adorait écouter des gens tels que Mark Victor Hansen, Joe Batten, Anthony Robbins, Jim Rohn, Zig Ziglar, Danielle Kennedy, notamment. Le soir, avant de s'endormir, il lisait Napoleon Hill, James Allen, Jack Canfield et d'autres auteurs, apprenant des principes, des méthodes et des règles qu'ont utilisés tous les grands de ce monde.

Il aimait lire et relire un ouvrage de Ralph Waldo Emerson intitulé *Self-Reliance* (Confiance en soi). Il en rêvait la nuit et le mettait en pratique au travail. Doug comparait son esprit et son âme à un culturiste qui s'était entraîné pendant six mois pour faire disparaître l'embonpoint et retrouver un beau corps ferme et musclé. Sa détermination, son autonomie et son estime propre lui procuraient une haute stature, la compétence et la popularité dans tous les aspects de sa vie. Les résultats étaient rapides et très gratifiants.

Il discuta de tout cela avec son mentor, qui lui sourit avec fierté et complicité. Doug comprit: toutes les organisations pouvaient et devaient se transformer en organisations autodidactes. Toutes les bonnes organisations se réinventent continuellement. Toutes les organisations de premier ordre s'appliquaient à s'améliorer encore et encore. Et cette amélioration était toujours amorcée par quelqu'un.

Doug se rendait compte maintenant que chaque personne avait le pouvoir de modifier le cours des choses. Cette idée lui plaisait et il voulait que tout le monde fasse partie d'une organisation autodidacte. Une nuit, il eut un songe où on lui révéla que l'être humain était sur terre pour apprendre et que lui, Doug, devait transmettre ce message à tous ceux qui croiseraient son chemin pour qu'à leur tour, ils le disent à d'autres. Doug savait maintenant que grâce à ce rôle de mentor, c'est-à-dire à la communication et à la collaboration, l'humanité tout entière pourrait en trois décennies connaître la réussite sur les plans économique, financier, social et personnel, tout cela en initiant une personne à la fois.

Chaque entreprise, chaque division, chaque service, chaque section possèdent sa propre structure pyramidale dans laquelle s'articulent sa mission, ses programmes, ses procédés, ses politiques et sa philosophie; et chaque personne en son sein doit prendre l'engagement total d'apprendre, de se réinventer et de réinventer son organisation.

Toute cette démarche de réinvention est alimentée par la poursuite éclairée de l'excellence, elle-même nourrie par la recherche continuelle de forces et d'attentes toujours plus claires et plus élevées.

Chacun possède sa boîte à outils

Le mentor amena Doug à voir que chaque membre de son équipe disposait de sa propre boîte à ou-

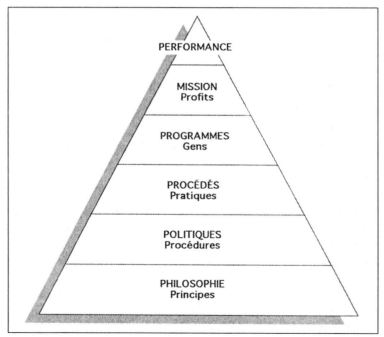

Figure 2 Structure pyramidale

tils. Tous en possèdent une, mais la plupart l'ignorent. Doug trouva dans le grand classique de Russell H. Conwell, *La fortune à votre portée** ou *Des hectares de diamants***, des concepts stimulants. Principalement, ce livre dit que chaque personne possède un nombre infini d'atouts. Dès qu'on les découvre, ces atouts profitent non seulement à la personne elle-même, mais au monde entier. La nouvelle mission de Doug consistait à amener les autres à découvrir leur propre mine de diamants. Il s'agissait d'un défi de taille, mais Doug se sentait apte à le relever.

Avec son équipe, il plaça un écriteau dans un endroit très visible pour tous les gens du service. On pouvait y lire:

Nos forces sont nos outils.

La recherche de nouveaux outils

Cherchant activement de nouvelles façons de faire progresser et de motiver chaque membre de son équipe, Doug demanda au mentor s'il avait du matériel qui pouvait l'aider dans cette démarche. Le mentor tendit à Doug un article qu'il avait écrit sur l'«auto-changement»; il lui suggéra d'en donner un exemplaire à chaque membre de l'équipe pour en discuter plus tard individuellement et en groupe.

Les défis de l'«auto-changement»

Notre avenir individuel et collectif s'améliorera ou se détériorera de façon directement proportionnelle à la force et à la souplesse de nos attitudes. L'excellence est

---

*   Disponible aux éditions Un monde différent sous format de cassette
        audio.
**   Disponible aux éditions Un monde différent sous format de livre.

le fruit du dépassement de soi, de l'entière réalisation de soi, de l'audace de rêver et de réaliser ses rêves. C'est nous qui avons un rêve (une idée), et ce rêve n'attend que nous pour se réaliser.

Peu d'entre nous connaissent ces moments d'excellence véritable appelés épiphanie ou fête des Rois. Pourquoi toute cette médiocrité? Pourquoi tous ces visages crispés et pâles dans le miroir? Car nos attitudes sont médiocres. Les attitudes font foi de *tout*! Nous pouvons apprendre à être maîtres de nos émotions. Chaque matin, au réveil, nous pouvons tous dire: «Je me sens bien et je me sentirai de mieux en mieux.» Ces mots, prononcés avec émotion et conviction, *deviennent* notre réalité intérieure. Consciemment et inconsciemment, nous commençons à nous sentir toujours bien.

Nos attitudes sont au cœur de notre être. Elles conditionnent notre rythme biologique, l'activité de nos neurones, nos choix en matière d'alimentation et d'exercices physiques. Bref, nos attitudes conditionnent notre corps, notre esprit et notre âme, de même que nos relations avec les autres. Elles constituent véritablement le moteur du changement, et c'est d'elles que dépend notre qualité de vie.

Lorsque notre rendement est à son maximum, lorsque nous parvenons à l'excellence, c'est que nous exprimons des attitudes, des passions et des rêves positifs. Au cœur de tout progrès humain se trouve un rêve transcendant. Louis Pasteur, Pierre et Marie Curie, Albert Schweitzer, John et James Watson, Norman Vincent Peale, Ralph Waldo Emerson, Ross Perot, Ludwig van Beethoven, Albert Einsten, Marriott, Lee Iacocca, Richard Buckminster Fuller, Bill Gates, Steven Spielberg, Joseph Turner, Walt Disney et tous les autres qui ont profondément marqué leur époque, étaient tous passionnément déterminés à réaliser leur rêve. Ils n'ont pas laissé le doute les distraire ou les abattre.

Les êtres passionnés et les êtres passifs sont très différents: les premiers vivent une vie allumée à même les grandes idées, alors que les seconds errent sans but.

J'aimerais lancer un défi tout à fait particulier aux gens qui veulent non seulement atteindre l'excellence dans leur vie professionnelle, mais aussi vivre une vie personnelle riche et pleine. Le docteur Abraham Maslow, père de la psychologie de l'image positive de soi, appelait ces gens « des êtres en pleine possession de leurs moyens, productifs et bourrés de ressources ». Dans les milieux de la spiritualité, on définit ce concept comme la quête de la maîtrise de son moi spirituel, ou la manifestation de l'esprit international. *Par conséquent, je vous mets au défi d'oser aller au bout de vos limites!*

Répétez chaque jour cette affirmation du docteur Paul Bragg: «Je suis un génie et j'utilise mon génie». Vos milliards de neurones réagissent à vos ordres tels des robots. Par conséquent, ordonnez-leur de penser: «Je suis un père (ou une mère) de génie et j'utilise mon génie dans mon rôle de parent.» (Nous sommes la première génération à utiliser des pensées aussi audacieuses pour améliorer notre vie familiale).

«Je suis un leader et un visionnaire de génie et j'utilise mon génie dans mon rôle de leader.» (Par cette visualisation vibrante, vos ressources et vos talents de leader iront en grandissant et se manifesteront chaque jour).

«Je suis un génie de la finance et j'utilise avec profit mon génie dans mon rôle de financier.»

«Je suis un étudiant génial et j'utilise mon génie dans mon rôle d'apprenant.» Marva Collins est une pédagogue remarquable qui prend des enfants des quartiers défavorisés de Chicago, des enfants soi-disant peu doués, et trouve en eux le génie. Elle ne les laisse pas échouer. Dès que ces enfants atteignent l'âge de quatre ans, elle les aide à lire et à comprendre des livres tels que *Confiance en soi*, de Ralph Waldo Emerson, et *Le Marchand de Venise*, de William Shakespeare. Marva Collins croit au génie en tout être humain et elle en favorise l'éclosion.

Les 16 audaces du mentor

À partir de ce moment, le mentor formula 16 «audaces», sous forme de questions que devaient se poser Doug (et les membres de son équipe).

1. *Avez-vous l'audace de vivre passionnément?* Osez vous réaliser. Ce défi est d'autant plus pertinent aujourd'hui, car c'est de lui que découlent toutes les autres audaces.

2. *Avez-vous l'audace de voir grand et de consacrer votre temps et votre énergie à la réalisation de vos rêves?* Le mentor demanda à Doug de prendre chaque jour le temps de réfléchir à ce qu'il rêvait d'être et de devenir. Le mentor dit: «Tu es unique sur cette terre. Sept milliards d'êtres humains ont vécu sur cette planète; pourtant, tous étaient et sont différents. Réfléchis à ton potentiel, à tes forces, au merveilleux qui est en toi, et proclame une prophétie à ton endroit.»

3. *Avez-vous l'audace de prendre soin de votre corps?* Personne ne vit au point mort; c'est avec nos pensées, nos paroles et nos actions que nous bâtissons ou que nous détruisons. Nous voulons rarement détruire de sang-froid; pourtant, en négligeant notre corps, nous anéantissons souvent notre propre potentiel et nos rêves. Le mentor expliqua que les plus récentes recherches démontrent que nous devrions nous garder en forme et faire des exercices d'aérobic cinq ou six jours par semaine.

Covert Bailey, auteur de *Fit or Fat (Être en forme ou obèse)*, affirme que nous devons marcher, nager, courir, sauter à la corde, faire du ski de fond (le ski alpin n'est pas un exercice d'aérobic), jouer au tennis ou faire du conditionnement physique pendant au moins 20 minutes, jusqu'au point de transpiration, tout en étant capable de tenir une conversation sans être à bout de souffle. Le mentor conseilla à Doug (qui refila le conseil aux membres de son équipe) de commencer, après un examen médical, à faire 20 minutes d'exercices par jour.

4. *Avez-vous l'audace de nourrir votre esprit et votre âme?* Le mentor répéta l'adage disant que nous devenons ce que nous mangeons et, ajouta-t-il pour élargir le concept, nous sommes ce que nous absorbons. Si nous ingérons non seulement des aliments nutritifs (en mangeant abondamment des fruits et des légumes frais organiques, des herbes et des céréales à grains entiers), mais aussi des beaux-arts, de la littérature, de la musique et d'autres matières enrichissantes, nous nourrissons notre esprit et notre âme en même temps que notre corps. Si nous donnons généreusement aux autres de l'amour, de la compréhension et des occasions de s'affirmer, nous absorbons les richesses qui découlent de ces relations. Nous en sortons grandis: notre capacité d'être un leader et d'aimer est ainsi infiniment plus grande.

5. *Avez-vous l'audace de remplacer la rigidité d'esprit par l'ouverture et la curiosité?* «Je veux que ton esprit se développe et grandisse en souplesse, en vivacité et en détermination (et non en intransigeance) pendant que tu te fixeras des objectifs qui exigeront chaque jour le maximum de toi-même», dit le mentor. «L'esprit est comme un muscle: il se conditionne et se renforce en surmontant la résistance et le stress. Efforce-toi d'avoir un esprit déterminé et un cœur aimant.» C'est Joe Batten qui suggéra à Martin Luther King l'idée et le contenu de son célèbre sermon: «Un esprit déterminé et un cœur aimant». On trouve ce sermon reproduit au chapitre 1 du livre *Strength to Love.*

6. *Avez-vous l'audace d'exiger le maximum de vous-même et des autres?* Ayez l'audace de chercher sans relâche les vertus, les talents et les forces chez les autres. Plus souvent qu'autrement, nous obtenons ce à quoi nous nous attendons; la vie peut être aussi belle ou aussi moche qu'on s'y attend. Nos expériences sont le fruit de nos attentes; une idée que Doug apprécia tout particulièrement.

7. *Avez-vous l'audace de trouver quelque chose à aimer dans chaque personne?* C'est l'amour qui est à la base de la santé, de la croissance, de la créativité, de l'enthousiasme, de la richesse. Le mentor expliqua que n'importe qui peut haïr et rabaisser les autres, mais que seuls les sages apprennent à aimer les autres et à les inspirer. Les recherches montrent d'ailleurs que l'amour peut littéralement guérir de nombreuses maladies, dont le cancer parfois.

8. *Avez-vous l'audace de vous fixer des objectifs trop ambitieux, pour ensuite vous pousser à les atteindre?* L'effort et le dépassement de soi favorisent à la fois le développement du corps et la croissance professionnelle. Le meilleur moyen de faire des efforts qui exigent le dépassement de soi et de les maintenir, c'est de se fixer des objectifs et d'améliorer ses performances antérieures. Les objectifs sont la première étape. Le mentor demanda à Doug d'imiter Walt Disney et d'élaborer un plan s'échelonnant sur 50 ans.

Walt Disney est mort en 1966; c'est pourtant après sa mort que ses parcs thématiques ouvrirent leurs portes en Floride, au Japon et en France, et que la production cinématographique de son entreprise passa de cinq films par année à soixante films par année. Tout cela parce que

Walt Disney savait ce qu'il voulait, qu'il avait élaboré un plan, parce qu'il avait mis ses projets sur maquette (exposée au Club 31 à Disneyland, à Anaheim en Californie) et parce qu'il avait prévu avec son équipe que son œuvre survive à son départ. «Je te mets au défi d'écrire un plan de 50 ans», dit le mentor, le sourire au lèvres.

9. *Avez-vous l'audace de remplir votre cœur et votre foyer d'espoir, de foi, d'amour et de gratitude?* Les gens ont tous besoin de se sentir protégés, reconnus et importants, de développer un sentiment d'appartenance et d'avoir un avenir; cependant, l'espoir, la foi, l'amour et la gratitude sont des besoins encore plus fondamentaux. La gratitude est l'antidote de la dépression. Une gratitude sincère apaise et contribue au bien-être. C'est la plus haute forme d'hygiène mentale. Chaque jour, faites-vous un devoir d'exprimer votre gratitude à au moins une personne. Doug découvrit que l'adoption de cette saine habitude amène peu à peu un état de bien-être presque perpétuel, comme chez le mentor.

10. *Avez-vous l'audace de vivre avec la faculté de vous émerveiller?* La faculté de s'émerveiller est peut-être l'état qui se rapproche le plus de la grâce absolue. Selon le mentor, cette faculté est essentielle pour tous ceux qui souhaitent accroître leur efficacité. Rien ne peut entraver ou tuer aussi vite le progrès que de s'enliser dans une «zone de confort». Le cynisme, le sarcasme, le négativisme et le déterminisme peuvent également tuer la faculté de s'émerveiller. En revanche, on peut cultiver cette faculté en exploitant nos capacités, en les cherchant et en les mettant à l'épreuve. On y parvient encore mieux dans un

climat d'apprentissage où l'on peut dialoguer avec son mentor et se faire aider de lui.

11. *Avez-vous l'audace de vivre dans un état de vulnérabilité?* La vulnérabilité demande et engendre du courage, de l'engagement et de la confiance. Les gens vulnérables et ouverts sur le plan affectif progressent et évoluent. Ils recherchent et aiment le défi et la nouveauté. Ils mènent une vie active jusqu'à leur mort. À l'inverse, les gens invulnérables et «prudents» finissent par avoir un esprit rigide et un corps faible. Ils cherchent à éviter les obstacles, inconscients du fait qu'un confort trop grand peut mener à l'ultime stade de la rigidité: la rigidité cadavérique. Doug vivait déjà dans un état de vulnérabilité; il se jura donc de continuer ainsi.

12. *Avez-vous l'audace de mettre par écrit 200 victoires que vous avez remportées depuis votre naissance?* «Au départ, tu auras du mal à en trouver autant, mais il te faut persister et en écrire 200. C'est possible. Depuis des années, j'encourage un nombre incalculable de gestionnaires à faire cet exercice et j'ai constaté qu'il contribue à rehausser l'image qu'on a de soi. Si tu veux vraiment te donner au maximum, être un maître motivateur, tu veilleras à remplacer toutes tes pensées négatives par des pensées positives.» La voix du mentor vibrait d'enthousiasme et de confiance. «Je vais m'y mettre dès ce soir», répondit Doug.

13. *Avez-vous l'audace de tenir votre «journal d'évolution» personnelle?* «Mets par écrit chacune des forces que tu crois posséder actuellement, puis prends la résolution d'en trouver une nouvelle chaque semaine. Les gens qui continuent de tenir un tel journal année après année évoluent sur les plans de la santé, de la force, de l'assurance et de

la richesse. D'une certaine façon, tu es la somme de tes forces; elles sont tes meilleurs atouts. Trouve-les.»

Encore une fois, Doug réfléchit de plus en plus à ses forces. Les mettre par écrit ne fit que les consolider.

14. *Avez-vous l'audace de réinvestir vos forces?* «Rappelle-toi que tes faiblesses sont le reflet de ce que tu n'es pas. Une faiblesse indique seulement l'absence ou l'insuffisance d'une force. Impossible de réinvestir une faiblesse; seules les forces peuvent être réinvesties.

«Trouve un partenaire intelligent dont les forces combleront tes faiblesses. La seule fréquentation de cette personne te renforcera», dit le mentor.

Pour Doug, ce principe s'appliquait à son mariage. Les forces de Marya contrebalançaient parfois ses faiblesses. Elle bouclait le budget familial mieux que lui. Elle était plus sociable et avait une belle conversation. En revanche, Doug avait plus de facilité à gérer les situations de crise et à motiver les enfants dans leurs travaux scolaires.

15. *Avez-vous l'audace d'être un altruiste ambitieux?* Comme le dit le mentor, les arrivistes se laissent tôt ou tard prendre à leur propre jeu. N'importe quel amateur égoïste en est capable! Plus on donne, plus on obtient en retour. C'est une grande vérité cybernétique. On peut commencer par donner de l'inspiration, des aspirations, du dévouement et de l'effort pour un objectif important.

16. *Avez-vous l'audace de vous faire concurrence?* L'amateur concurrence les autres. Le professionnel, lui, rivalise avec ses propres objectifs et ses

propres capacités. Le but est de se surpasser : les enfants commencent par se traîner à quatre pattes, puis ils marchent, courent et sautent. La plupart des gens cessent de se développer entre l'âge de 20 et 30 ans.

«Je te mets au défi de te développer sans fin», dit le mentor. Cavett Robert conseillait avec sagesse : «Cesser de se développer, c'est commencer à mourir.» Doug adorait le récit de *Jonathan Livingston le Goéland*, car il y avait découvert que nous luttons seulement contre nous-même.

Tous les véritables champions le savent. Comme l'enseignait Vince Lombardi, l'athlète qui se laisse distraire par son adversaire perd de précieuses secondes et, par le fait même, son avantage. Monsieur Lombardi croyait fermement que le «pro» «agit» tandis que l'amateur «réagit».

Le monde a de plus en plus besoin de gestionnaires et de leaders compétents qui comprennent que l'excellence, tant au niveau personnel qu'au niveau de l'entreprise, existe par et pour les *gens*. Il faut oser briser les stéréotypes. Il faut oser se surpasser, repousser ses limites. *Vous sentez-vous suffisamment concerné ?*

Ces 16 «audaces» alimentèrent quelques discussions animées et stimulantes. Le service que dirigeait Doug était en train de devenir un sujet de discussions et de commentaires dans toute l'entreprise.

Moyens d'action

Suivant la ligne de conduite du mentor, Doug dressa un bilan en 18 points pour évaluer l'efficacité de son leadership sur le plan de la motivation. On demanda à chaque membre de l'équipe de répondre aux 18 questions suivantes et d'y réfléchir quotidiennement.

Les membres de mon équipe possèdent-ils les caractéristiques, les talents ou le potentiel suivants:

	OUI	NON
• beaucoup d'énergie mentale, physique et spirituelle?	_____	_____
• le désir d'être audacieux, articulé et vulnérable?	_____	_____
• la volonté d'utiliser des *attentes* plutôt que des *exigences*?	_____	_____
• un style qui entraîne les autres au lieu de les pousser?	_____	_____
• de la passion et non de la passivité?	_____	_____
• le désir de suivre leur leader plutôt que de lui obéir?	_____	_____
• la volonté de faire preuve d'initiative?	_____	_____
• le goût de se développer, de changer et de se renouveler?	_____	_____
• le désir d'être un exemple qui motive les autres, les pousse à se dépasser et leur donne les moyens de le faire?	_____	_____
• la capacité de donner des compliments *mérités* et de donner pleins pouvoirs?	_____	_____
• l'engagement envers une vision, des valeurs, des missions et des *objectifs* transcendants ou supérieurs?	_____	_____
• la volonté de remplacer les forces négatives du passé? (*Voir le glossaire à la fin du livre*).	_____	_____
• la volonté de se brancher sur les forces positives de l'avenir?	_____	_____
• la conviction que la vérité et la candeur sont des forces *libératrices*?	_____	_____
• la conviction que l'intégrité et la force sont synonymes?	_____	_____

- la capacité de traduire ses valeurs
  personnelles en gestes concrets? _____   _____
- le goût d'innover, de créer et de changer? _____   _____
- la volonté de valoriser en tout temps
  une équipe dont les membres sont
  motivés et auxquels on a conféré
  pleins pouvoirs? _____   _____

> *On a tous intensément besoin de se sentir important*
> *en tant qu'individu. Pour cela, il faut avoir des*
> *attentes de dépassement claires et se concentrer sur*
> *les forces qui nous rendent aptes à les satisfaire.*

« Quelle est la différence entre un leader et
un patron ? Le leader avance à visage
découvert tandis que le patron cache le
sien. Le leader montre la voie à suivre
tandis que le patron donne l'ordre de s'y
engager. »

Theodore Roosevelt

Chapitre 6

La joie de faire progresser les autres

Doug rayonnait. Il accumulait succès après succès, exploit après exploit. Il se sentait de plus en plus investi de pleins pouvoirs et apte à les conférer aux autres. De son côté, Marya était comblée non seulement par la réussite grandissante de Doug, mais aussi par l'amélioration croissante de leur relation. Elle disait: «Le mentor t'oriente bien, mon chéri. Dan et Sandi ressentent ces changements, eux aussi, et cela les enchante. Que se passe-t-il?»

Doug sourit: «Ce que j'apprécie le plus, c'est la nouvelle relation que j'entretiens avec *chacun des membres* de mon service. Je m'efforce tout particulièrement de motiver Laura Bosco et de lui servir de mentor ou, devrais-je dire, de *l'aider à se motiver elle-même*. Vois-tu, tout vient de l'intérieur, et je trouve vraiment agréable de m'appliquer à *enseigner* et à *mettre en pratique* chacune des huit étapes du plan de motivation individualisée.

«Tu sais, si je réussis *réellement* à motiver Laura, ou plutôt à l'amener à se motiver elle-même, elle pourra me remplacer le jour où j'accepterai une promotion. Et je *sais* que ce jour arrivera.

«Plus je progresse, plus je suis en mesure d'aider les autres à progresser. En me développant ainsi, ma vie et notre vie s'améliorent. Et le plus fantastique, c'est que j'ai découvert que tout a commencé *en* moi.»

Marya prit un air songeur. «Peux-tu me donner un exemple de ce que tu fais avec Laura et les autres?

– Bien sûr, rien de plus facile». Doug prit le carnet d'adresses de son épouse et l'ouvrit à la première page, une feuille vierge. L'enthousiasme de sa femme pour ce qu'il était en train d'apprendre le ravissait. Il renforçait également leurs liens.

Doug écrivit ces six étapes:

Objectifs, vision, mission et rêves
Évaluation réaliste de ses forces
Ouverture d'esprit et vulnérabilité
Faculté de s'émerveiller
Attentes ambitieuses
Espoir

«Vois-tu comment ces six étapes cadrent parfaitement avec l'enseignement du mentor? J'essaie de les inculquer à mes gens, et à Laura en particulier.»

«Les objectifs qu'on poursuit donnent de l'élan, de l'énergie, de la concentration, bref, ils stimulent. Ils motivent! Ils sont l'essence de la motivation. Les objectifs pleins d'inspiration produisent des résultats inspirés.

Marya sourit à Doug et l'encouragea à continuer.

«L'évaluation réaliste de ses forces aide l'individu à mieux comprendre ce dont il est capable et fait naître en lui le désir ardent de *se réaliser pleinement*. C'est cela la motivation!

«L'ouverture d'esprit et la vulnérabilité face aux nouveaux défis et aux occasions qui se présentent contribuent au développement des forces qu'on a en soi, de la confiance en soi et de la détermination. C'est cela la motivation!

«La faculté de s'émerveiller se cultive et aide à éliminer le cynisme, le négativisme et le manque de motivation. C'est cela la motivation!»

– Je saisis vraiment mieux ta démarche», dit Marya. «Avec ta voix, tes gestes, tu personnifies l'énergie.

– Exactement. Ces principes se vivent de façon permanente. Lorsqu'une personne entretient des attentes de dépassement dans tous les aspects de sa vie, elle est capable d'aller toujours plus loin, de se surpasser et d'accomplir des choses, plutôt que de se contenter d'obéir et de se faire commander. Ces principes motivent!

«Quant à l'espoir, il est, comme le dit le mentor, à la base de tout progrès, de toute richesse, de toute motivation.»

C'est en se donnant qu'on se découvre

Laura Bosco et Doug se rencontraient régulièrement pour parler de motivation. Chaque fois qu'ils évaluaient les progrès accomplis, de nouvelles questions surgissaient. Une fois, Laura dit: «Doug, j'ai remarqué que tu étais devenu quelqu'un de très généreux. Ne peut-on pas *trop* donner?

– C'est possible», répondit Doug, mais je crois que plus on se donne – en termes de savoir, de dévouement, d'efforts, de conseils, de formation et d'attentes – plus on progresse. Le mahatma Gandhi a dit: «Tu te *découvriras* en te *mettant au service* de ton prochain, de ton pays et de Dieu.»

«Les bases d'une amitié véritable résident dans cette croyance: "Lorsque je comble les besoins d'autrui, mes besoins sont comblés". L'amitié est donc une extension des lois naturelles de la vie.»

Doug récita alors cette prose:

«On reçoit ce que l'on donne,
On devient ce que l'on dégage,
On récolte ce que l'on sème.»

En s'imprégnant peu à peu de ces idées, Laura devint de plus en plus motivée.

Demande et écoute

Le mentor recommandait une écoute active, constructive, intéressée.

Le mentor prit un air grave lorsqu'il conseilla à Doug de faire attention au fait que tous les progrès qu'il avait obtenus grâce à la motivation pouvaient disparaître presque instantanément s'il versait dans l'*écoute négative*. L'écoute négative, c'est attendre que l'autre ait fini de parler pour dire ce qu'on allait dire, sans égard à ce que l'autre vient de dire. C'est aussi donner une réponse *sans connaître la question*! Plus insidieusement encore, c'est *terminer les phrases de l'autre à sa place*.

Doug trouva ce conseil très judicieux pour son cheminement d'époux et de père.

Besoins, désirs et capacités

Doug avait encore tendance à penser que, dans certaines situations, il fallait *dire* plutôt que *demander*.

Pour apprendre à demander et à véritablement écouter, il faut, continuellement et consciencieusement, mettre en pratique tout ce qui a été abordé dans ce livre jusqu'à présent.

Le conseil le plus utile et le plus éprouvé qu'on puisse donner à tous ceux qui veulent motiver les autres, ou les aider à se motiver eux-mêmes, est probablement le suivant: réfléchissez-y encore et encore.

Demandez et écoutez pour découvrir les désirs, les besoins et les capacités des autres.

Le mentor secoua la tête: «Non, Doug, tout est dans la manière. Tu peux crier, tempêter, hurler; on se limitera à t'obéir. Toutefois, lorsque tu demandes, fais comprendre clairement tes *intentions*! Essaie-le sans cesse et tu en deviendras convaincu. Dire, rabaisse les autres; demander, les valorise et leur donne pleins pouvoirs.»

Le conseil du mentor: DEMANDEZ!

- *Si vous ne le savez pas, demandez!*
- *Si vous êtes insatisfait, demandez!*
- *Si vous voulez mener sans pousser ni suivre, demandez!*
- *Si vous voulez attendre un objectif essentiel, demandez!*
- *Si vous êtes tenté de réagir à une situation en vous mettant en colère ou en donnant des ordres, demandez!*
- *Si vous souhaitez communiquer (dans le sens d'un échange réciproque) plutôt que d'engager simplement un dialogue, demandez!*

- *Si les ordres et les directives vous ennuient, deman-dez!*
- *Si vous ne savez plus où vous en êtes, demandez!*
- *Si vous faites face à l'hostilité et à la résistance pas-sive, demandez!*
- *Si vous attendez de bonnes choses de la vie, deman-dez!*

Doug aima tellement ces idées qu'il les colla sur son bureau près de son téléphone. Pendant un mois, chaque fois qu'il était au téléphone et qu'on le laissait en attente, il les lisait. Les résultats furent tout simplement miraculeux. Laura essaya, et elle obtint les mêmes résultats. Elle suggéra à un collègue d'essayer. L'enseignement du mentor portait fruit non seulement pour son élève, mais pour les élèves de son élève.

Au départ, lorsque le mentor avait insisté sur l'importance de connaître les désirs, les craintes et les besoins de la personne que l'on désire motiver, Doug ne savait trop comment s'y prendre. Maintenant, il savait que la capacité de demander et l'écoute active étaient des habiletés que l'on pouvait cultiver toute sa vie.

Laura Bosco l'aida à comprendre l'importance de trois des adages les plus éloquents dans l'histoire de l'humanité:

Demandez et vous recevrez
Cherchez et vous trouverez
Frappez et l'on vous ouvrira

Donner pleins pouvoirs aux autres et les renforcer

Le mentor expliqua à Doug que de conférer pleins pouvoirs aux autres, c'est créer et entretenir des relations au sein desquelles les gens sentent leur *importance*, leurs *capacités* et leurs *forces*. Les personnes dont on reconnaît ainsi les capacités saisissent clairement leur pouvoir, leur responsabilité et leur rôle au sein d'une équipe. Ils possèdent également une autonomie qui est en symbiose avec les autres. On obtient du *pouvoir* en déléguant du *pouvoir*.

Le renforcement positif et le *réinvestissement de ses forces* ont tous deux le même sens. Le renforcement consiste à insuffler une force nouvelle. Il est crucial de comprendre que la communication ne peut exister sans la combinaison des forces de chacun. Une faiblesse indique uniquement l'absence ou l'insuffisance d'une force. On ne peut obtenir une communication forte et efficace à partir d'un manque. Ce sont nos forces qui nous définissent, nous façonnent. Elles seules incarnent notre *être*. Par conséquent, il faut absolument commencer à chercher les forces qu'on a en soi et ne jamais cesser de le faire. Alors seulement sera-t-on capable de percevoir les forces d'une autre personne, d'établir un lien avec elle et de construire à partir de ses forces.

Le renforcement positif n'a de sens que s'il puise dans la confiance en soi. La véritable confiance en soi, elle, ne s'exprime pleinement que dans nos relations avec les autres. Une organisation doit tout mettre en œuvre pour créer un climat de travail ou une culture d'entreprise où on respecte les gens pour *ce qu'ils sont* et où on reconnait leur contribution à un travail bien fait.

La capacité de donner pleins pouvoirs aux autres et le renforcement sont au centre de *toute* motivation positive!

«D'accord», dit Doug. «Je comprends très bien que le renforcement et la capacité de donner pleins pouvoirs aux autres peuvent aider à devenir un maître motivateur. Vous avez cependant été clair à savoir que les meilleurs motivateurs vivent une vie de succès et de bonheur. Pouvez-vous me donner quelques conseils susceptibles d'aider les gens qui veulent mener une *vraie* vie?

«Bien sûr», répondit le mentor en prenant son organigramme et en y inscrivant des moyens d'action clairs et précis.

Moyens d'action

Les maîtres de la motivation doivent:

* se montrer attentionnés;
Pourquoi? _____
Comment? _____
Quand? _____

* faire preuve d'audace;
Pourquoi? _____
Comment? _____
Quand? _____

* être généreux;
Pourquoi? _____
Comment? _____
Quand? _____

* se dépasser;
Pourquoi? _____
Comment? _____
Quand? _____

* entretenir de grandes attentes;
Pourquoi? _____
Comment? _____

Quand? _____

- donner beaucoup;
  Pourquoi? _____
  Comment? _____
  Quand? _____
- vivre intensément;
  Pourquoi? _____
  Comment? _____
  Quand? _____
- aimer avec passion;
  Pourquoi? _____
  Comment? _____
  Quand? _____
- progresser sans cesse;
  Pourquoi? _____
  Comment? _____
  Quand? _____
- faire des expériences;
  Pourquoi? _____
  Comment? _____
  Quand? _____
- rechercher les défis et les obstacles;
  Pourquoi? _____
  Comment? _____
  Quand? _____
- avoir la faculté de s'émerveiller;
  Pourquoi? _____
  Comment? _____
  Quand? _____

- prendre soin de leur corps, de leur esprit et de leur âme;
  Pourquoi? _____
  Comment? _____
  Quand? _____
- être toujours plus conscients de leurs propres forces;
  Pourquoi? _____
  Comment? _____
  Quand? _____
- reconnaître continuellement les forces des autres;
  Pourquoi? _____
  Comment? _____
  Quand? _____
- cesser de «juger» les autres à leurs faiblesses et s'efforcer de les «évaluer» en fonction de leurs forces présentes et potentielles;
  Pourquoi? _____
  Comment? _____
  Quand? _____

«Merci», dit Doug. «J'ai hâte d'en donner des copies à mes collègues!»

«Rien n'a plus de valeur à mes yeux que la capacité de traiter avec les gens.»

John D. Rockefeller

Chapitre 7

Qu'est-ce qu'un leader?

Les résultats extraordinaires que Doug obtenait dans son service étaient le sujet de conversation de l'heure. Mark Jackson était ravi de la productivité et des accomplissements de Doug et de son équipe. Chaque semaine, ils établissaient de nouveaux records. Une phrase était restée gravée dans la mémoire de Doug:

«Félicitations d'être devenu un leader visionnaire que les gens suivent et aiment. Vois-tu, aujourd'hui, pourquoi le leader qui montre la voie réussit et pourquoi celui qui ordonne échoue?» Doug comprit le message et acquiesça. Cela lui donna l'idée de dresser une liste des caractéristiques du motivateur positif (le leader visionnaire) et du motivateur négatif (le patron qui commande). Avec l'aide de Laura Bosco et du reste de l'équipe, il trouva 20 déclencheurs de changement de paradigmes. Il expliqua à son équipe qu'un paradigme est un «exemple extraordinairement éloquent, un modèle à suivre, un profil, une image, un concept, une idée.»

Les 20 déclencheurs de changement de paradigmes

Le motivateur positif (leader visionnaire)	Le motivateur négatif (le leader commande)
Demande	Dit aux autres quoi faire
Entraîne à sa suite	Exerce de la pression sur les autres
Cherche les forces des autres	
Complimente généreusement	Cherche les faiblesses
Coopère avec les autres et lui-même	Est avare de compliments
	Concurrence les autres
Est inspiré par des valeurs	Se force pour respecter des valeurs
Est inspiré par une vision	
Est ouvert et vulnérable	Se force pour suivre une vision
Recherche l'excellence	
Se concentre sur les résultats	A l'esprit fermé et est sur la défensive
Fait preuve de vivacité et de perspicacité	Se contente de la médiocrité
Donne pleins pouvoirs aux autres	Se concentre sur les moyens
	Est négligé
Fait de l'écoute active	Rabaisse les autres
Est bienveillant et attentionné	Écoute de façon négative
Cherche à apprendre	Nourrit la haine et l'hostilité
Poursuit des objectifs avec acharnement	Pense qu'il sait déjà tout
	Se concentre sur son rôle
Apprécie le changement	Est réfractaire au changement
Pense aux autres	Pense à lui seulement
Est d'une intégrité irréprochable	N'est pas un modèle d'intégrité

La puissance du «Suivez-moi»

«J'ai deux questions», dit Doug au mentor. Premièrement, est-ce que tous les bons motivateurs sont de bons leaders? Deuxièmement, est-ce que tous les bons leaders sont de bons motivateurs?»

Le visage du mentor s'illumina: «En un mot: oui!»

Plus tard, Doug dit à Laura: «Bonne nouvelle! Tout le monde peut apprendre à être un excellent motivateur, un leader visionnaire et dépasser ainsi toutes les espérances!».

– J'ai compris», s'exclama Laura.

Ils se mirent d'accord sur la nécessité que *tous* partagent cet engagement, cet enthousiasme et ces résultats. Après mûre réflexion, Doug résuma tout ce qu'il avait appris en un slogan éloquent. Il avait beaucoup appris du mentor et il sentait qu'un élément se démarquait nettement des autres. Cet élément, Doug était content de l'avoir découvert, mais il aurait aimé le découvrir il y a longtemps.

Il est relativement facile de suivre un véritable maître motivateur qui «prend la tête du peloton» et qui *entraîne les autres à sa suite*.

Et...

La meilleure façon de motiver se résume dans ces deux mots: «Suivez-moi» (que ce soit de façon concrète, abstraite ou symbolique).

Par conséquent...

Nul ne peut suivre un «maître motivateur» si celui-ci se trouve littéralement *derrière* ceux qu'il motive, *leur poussant dans le dos*.

Le mentor avait dit: «Tous les grands motivateurs, tous les maîtres motivateurs s'inspirent d'intentions et se nourrissent de valeurs.»

Doug demanda au mentor une liste de valeurs qui pourraient alimenter son esprit et son âme; Doug voulait être plus qu'un «bon motivateur»: il voulait devenir comme son mentor, c'est-à-dire un maître motivateur.

Moyens d'action

Motivations et valeurs qui nourrissent:
- Les motivateurs aiment la vie.

- Les motivateurs sont extravertis et non introvertis.
- Les motivateurs cultivent leur goût d'apprendre.
- Les motivateurs recherchent l'excellence – rien de moins.
- Les motivateurs sont axés sur des objectifs.
- Les motivateurs aident les autres à se sentir importants.
- Les motivateurs entraînent les autres par l'exemple.
- Les motivateurs donnent aux autres un but et une orientation.
- Les motivateurs sont des gens désintéressés – et non des arrivistes.
- Les motivateurs se respectent et respectent les autres.
- Les motivateurs posent des questions et écoutent.
- Les motivateurs prennent soin de leur corps, de leur esprit et de leur âme.
- Les motivateurs sont chaleureux et bienveillants.

« Le leadership est un fil invisible à la fois mystérieux et puissant. Il permet d'entraîner les autres à sa suite et de resserrer les liens. La confiance est le noyau du leadership. »

Une publication chez IBM

Chapitre 8

Une énergie et une vitalité infinies

«Il existe une caractéristique dont on fait peu mention dans les livres et les cassettes vidéo sur la motivation», dit le mentor. «Elle est pourtant extrêmement importante.»

L'intensité perceptible de la voix du mentor étonna presque Doug. Il comprit que ce qui allait suivre serait essentiel à sa progression.

«Qu'est-ce que c'est?», demanda-t-il.

Le mentor répondit avec conviction: «Tu es véritablement devenu un maître motivateur. Toutefois, il te reste un autre défi à relever: *Es-tu capable de prendre soin de toi totalement?*»

Cette question intrigua Doug. Il avait toujours essayé de prendre soin de lui. Mais *totalement?* Il voulut en savoir plus long.

Des habitudes et des pensées vitales

«Que voulez-vous dire exactement? Bien sûr, c'est un défi à ma mesure. Mais pourquoi dois-je le faire?»

Le mentor prit son organigramme et écrivit tout en parlant.

A. SOINS DU CORPS:
1. Subir un bilan de santé complet.
2. Faire de l'exercice au moins trois fois par semaine. Marcher le plus possible. Monter les escaliers au lieu de prendre l'ascenseur ou les escaliers roulants.
3. Lire un bon livre sur la nutrition.

B. SOINS DE L'ESPRIT:
1. Lire régulièrement. Élaborer un programme de lecture. Commencer et terminer la journée avec des lectures inspirantes. La bibliothèque municipale est la meilleure alliée. Fouiller dans la section «psychologie» ou «croissance personnelle».
2. Réévaluer à intervalles réguliers les objectifs à moyen et long termes inscrits au plan de motivation individualisée.

C. SOINS DE L'ÂME:
1. Chercher à développer ou à renforcer sa conception personnelle d'un Être suprême universel. Fréquenter régulièrement un lieu de culte de votre choix.
2. Demander à un membre du clergé respecté des suggestions de lectures et des sujets de méditation. Apporter sa contribution!

Repoussez sans cesse vos limites!
(Moyens d'action)

- Prendre la décision de ne jamais cesser d'apprendre. Se rappeler que personne ne *suit* vraiment ceux qui «savent tout». *Tous les grands motiva-*

teurs continuent d'apprendre jusqu'à leur dernière heure!

- Discuter régulièrement avec les membres de sa famille. Vos enfants et votre conjoint peuvent vous apprendre beaucoup. Appréciez-le et dites-leur!

« Faites-en un peu plus que nécessaire,
Donnez un peu plus que nécessaire
Faites un effort supplémentaire
Visez un peu plus haut que vous ne le croyiez possible
Rendez grâce à Dieu pour la santé, la famille et les amis. »

Art Linkletter

Chapitre 9

La rétroaction continue

Les cinq étapes clés de la motivation

Le mentor dit: «Les principaux outils de la motivation sont inséparables de ceux de la rétroaction.»

Même s'il put constater à plusieurs reprises par la suite la sagesse contenue dans cette phrase, Doug se souvint à quel point il était intrigué et sceptique la première fois qu'il l'entendit.

«Pourquoi?» avait-il dit.

Encore une fois, le mentor sourit et ajouta: «On trouve les outils de rétroaction dans les «six serviteurs irréprochables» de Rudyard Kipling. Les voici:

Quoi?
Où?
Quand?
Qui?
Comment?
Pourquoi?

«Les outils de motivation résident dans la réponse à ces interrogations:

Quoi?
Où?
Quand?
Qui?
Comment?
Pourquoi?

Doug se répéta mentalement ces mots clés. Il décida de les écrire sur des fiches et les disposa sous son sous-main en verre. Il demanda aux membres de son équipe de faire de même. Il s'adossa dans son fauteuil et médita sur la réussite de son équipe.

Lorsque Laura Bosco entra dans son bureau quelques minutes plus tard, Doug songea à quel point il était évident que Laura lui succéderait. Lui-même était sans l'ombre d'un doute en pleine progression, en pleine ascension – tout droit vers le ciel – comme le sont tous les maîtres de la motivation.

«Tu as promis de me donner les *cinq étapes clés*, dit Laura. Tu m'as beaucoup appris et j'ai étudié les huit étapes du plan de motivation individualisée. Mais quelle est la plus simple expression de la motivation, son essence même?

«Je suis à ta disposition», répondit Doug avec chaleur en prenant son organigramme. Il avait élaboré cinq éléments essentiels de la motivation afin d'arriver à résumer toutes ses connaissances en cinq capsules.

«Les voici!»

La motivation en un coup d'œil

1. Avoir des attentes claires (objectifs et intentions), communiquées avec fermeté et constance, mais aussi avec confiance et bienveillance.

2. Baser toutes ses demandes (et non ses ordres) sur les forces connues ou potentielles et sur la connaissance des besoins, des désirs et des craintes de l'autre.

3. Assurer une formation, un mentorat et un soutien incessants.

4. Donner une rétroaction continue, confiante et bienveillante. Quand la fermeté est nécessaire, faites connaître clairement vos intentions.

5. N'attendre rien de moins que l'excellence, avec détermination et bienveillance. Ne soyez pas avare d'éloges mérités et donnez l'exemple en prenant l'engagement de ne jamais cesser d'apprendre.

«Des questions?», demanda Doug.

– J'en aurai certainement une fois que j'aurai digéré tout cela», répondit Laura. «J'espère que nous aurons d'autres discussions du genre lorsque que tu seras promu.» Doug sourit, l'air pensif, se rappelant une autre phrase pleine de sagesse du mentor.

Il n'existe pas de plus beau défi que de motiver les autres et de les aider à se réaliser pleinement.

«Le monde appartient aux gens énergiques.»

Ralph Waldo Emerson

Chapitre 10

Le maître motivateur se tourne vers l'avenir

Le lundi suivant la cérémonie de remise des prix d'une entreprise renommée, Doug pensa à la sensation merveilleuse qu'il éprouvait d'avoir été le premier à recevoir le prix du Maître motivateur. Même s'il avait fait beaucoup de chemin, il n'avait nulle envie de s'arrêter et de s'asseoir sur ses lauriers.

Les 18 mois de tutorat du mentor avaient produit des changements qui le marqueraient jusqu'à la fin de ses jours.

- Sa vie familiale et son rôle de père s'étaient améliorés au-delà de ses espérances.

- Marya, Dan et Sandi semblaient ravis de la nouvelle orientation familiale, axée sur des objectifs. Beaucoup d'amour se dégageait des liens renforcés qui les unissaient.

- Le cercle d'amis de Doug, dans son quartier et dans son entreprise, s'était agréablement agrandi et enrichi.

- Sa promotion allait lui offrir en abondance de nouveaux défis, des occasions de croissance et des objectifs très formateurs.

- Il y aurait encore des montagnes à gravir et des rivières à traverser, mais il se savait prêt.

Doug sentit une présence. Il se retourna et vit le mentor dans l'embrasure de la porte. Le visage ravi, le mentor dit: «Doug, tu es un élève extraordinaire. Je suis fier de tes progrès. Je veux que tu saches que j'aimerais beaucoup travailler avec toi et préserver notre amitié.»

Doug Sanchez se leva en souriant. Des larmes coulaient sur ses joues lorsqu'il s'approcha du mentor pour lui serrer la main: «La vie est magnifique, n'est-ce pas?»

«Le monde progresse grâce aux gens hautement motivés, aux enthousiastes, et aux hommes et aux femmes qui veulent très fort et qui y croient de tout leur cœur.»

Joe Batten

Glossaire de la motivation

Activité: action orientée vers un résultat clairement défini. Une activité est une chose qu'on fait, et non une chose qu'on fait faire (résultat).

Altruiste ambitieux: contraire de l'arriviste; personne déterminée qui sait qu'on peut accomplir davantage en s'efforçant de donner aux autres des encouragements, des connaissances, de l'inspiration et de la compréhension plutôt que d'agir en fonction de ses seuls intérêts.

Amateur ou concurrent désuet: individu qui concurrence les autres plutôt que ses propres objectifs; individu qui cherche à avoir l'avantage sur un autre individu ou groupe.

Ambiance: atmosphère de l'environnement humain où on se trouve; «sensation» ou «courant», plus perceptible que concret.

Amour: sentiment de fraternité et de bonne volonté envers les autres. Les leaders déterminés expriment l'amour en s'engageant fermement à construire au lieu de détruire et à mettre en valeur tous ses associés et les membres de son équipe au lieu de les rabaisser, que ce soit en pensées, en paroles ou en actions. Idéalement, le leader déterminé cherche à étendre cette mise en valeur à tous les échelons de la structure pyramidale de l'organisation.

Analyse: division d'un tout en parties (qui, quoi, où, quand, comment et pourquoi) dans le but de déterminer la nature de ces parties, leur fonction, leur importance relative et leurs liens entre elles.

Appréciation: détermination de la valeur et des capacités d'une personne en regard de son rendement et de sa personnalité, et sur une période donnée.

Archétype (modèle): leader dont la façon d'être et d'agir est en adéquation avec ce qu'il dit et demande.

Attentes: désirs ou besoins communiqués sous la forme d'une demande claire; cadeau ultime, les attentes laissent entendre aux autres que l'on voit et apprécie leur potentiel.

Autodiscipline: volonté d'agir de façon valable, de poursuivre son développement et de prendre soin de soi; efficace surtout lorsque la discipline qu'on s'impose est tournée vers des objectifs qui transcendent le gain individuel.

Autoritaire (manière): exposition vulnérable de ses forces. Étant donné que nos forces sont tout ce que nous possédons, tout ce que nous pouvons faire valoir, la vulnérabilité permet la pleine utilisation de nos forces sans recours aux mécanismes de défense.

Banque de forces: base de données informatisée qui contient les principales forces de tous les membres du personnel. On doit consulter régulièrement cette base de données pour véritablement appliquer la répartition logique des forces, car c'est de cette répartition que dépendent toutes les grandes tâches et toutes les grandes décisions. Étant donné que les forces constituent effectivement la seule réalité d'un individu, la banque de forces permet à une organisation de progresser en restant très enracinée dans la réalité. Les faiblesses sont considérées comme des forces manquantes ou insuffisamment développées.

Bienveillance: manifestation continue d'intérêt pour les autres et leur affirmation; conviction que tout être humain a du bon, jusqu'à preuve du contraire, et que tout être humain est bourré de forces et de ressources.

Boîte à outils personnelle: Nos forces sont nos outils! Nous disposons tous d'outils, et leur efficacité augmente de façon directement proportionnelle à notre volonté de chercher et d'exploiter continuellement de nouvelles forces.

But: résultat principal à atteindre.

Candeur: vérité appliquée. Dans le lexique de la détermination, la candeur demande l'ouverture d'esprit, la vulnérabilité, la conscience des besoins d'autrui et le désir sincère d'y répondre.

Caractère agressif: dont l'initiative est foncièrement égocentrique. À ne pas confondre avec un caractère autoritaire, lequel caractérise une personne qui utilise ses ressources dans un but constructif.

Chaleur humaine: émotion et bienveillance dirigées vers autrui et qui transmettent des sentiments d'affirmation et de sécurité.

Climat propice aux erreurs: environnement qui demande et favorise l'expérimentation continuelle, la créativité, l'innovation et le changement, où on encourage l'apprentissage par ses erreurs et où les «erreurs constructives et justifiées» sont récompensées plutôt que sanctionnées.

Cohérence: unité de pensée, de parole ou d'action dans un continuum de temps, d'espace et de relation.

Collaboration: action coordonnée; mélange de forces qui engendrent la symbiose et la synergie.

Commander: paroles ou actions, explicites ou implicites, qui indiquent arbitrairement l'action ou le résultat désiré; commander consiste à «pousser dans le dos» alors que demander «incite au dépassement».

Communication: échange réciproque de signification et de compréhension.

Compensation: avantage psychologique ou monétaire donné ou reçu en échange de l'énergie dépensée à atteindre des résultats.

Concentration: point où l'énergie se concentre. Une équipe concentrée partage le même point de convergence et agit en conséquence.

Concurrent déterminé: personne qui concurrence continuellement ses propres objectifs et qui cherche à se réaliser pleinement.

Confiance: sentiment que l'autre satisfera nos attentes; croyance implicite dans l'intégrité ou la force du comportement éventuel de l'autre.

Confiance en soi (assurance): croyance en son importance et en son potentiel; conscience grandissante de ses propres forces et, souvent, désir de relever des défis considérables.

Conflit affectif: mélange d'émotions nécessaires à la transmission des connaissances et à leur transmutation en apprentissage; une *gestalt* d'émotions.

Confronter: traiter de façon ouverte, honnête et vulnérable ce qui doit être remis en question; action contraire de l'opportunisme, du manque d'aplomb, du manque de franchise et de l'action d'éviter.

Conseiller: *voir* Entraîneur. Ces deux termes sont synonymes.

Construire: combiner des forces pour en faire un tout. Les éléments clés de la construction d'une équipe déterminée sont ceux qui dotent l'équipe d'une philosophie positive, axée sur des principes et des pratiques, et soutenue par la foi.

Contexte affectif: mélange d'émotions diverses telles que la colère, la peur, le dégoût, la joie et la surprise, utilisés à des fins d'apprentissage ou de modification du comportement. Une relation affable entre deux personnes d'un même milieu d'affaires donne rarement lieu à un apprentissage véritable.

Contrôle: aboutissement d'un processus interactif qui comporte des attentes claires et des résultats. Le contrôle n'est pas un outil de gestion en soi; il résulte de l'excellence dans l'application des autres concepts du leadership déterminé.

Conviction: croyance solide d'une personne ou d'un groupe; manière d'exprimer un engagement important qu'on entretient par la participation active; respect d'un engagement.

Coordination: communication réciproque qui permet et nécessite un effort synchronisé pour atteindre des objectifs communs.

Critiquer: évaluer les résultats d'une analyse et repérer les valeurs et les forces qui s'y trouvent; réinvestir ces forces en cherchant à améliorer une situation, une chose ou une personne.

Cultiver: informer, faire connaître ses attentes, renforcer; capacité de demander et d'écouter qui aide les autres à progresser.

Culture: philosophie, valeurs, croyances, attitudes et pratiques propres à une organisation; micro-éléments qui participent aux accomplissements.

Culture de la qualité totale: concentration de tous les individus et de toutes les ressources d'une organisation dans l'amélioration constante de tous les aspects de l'organisation. Plus que la gestion de la qualité totale (GQT), la CQT se répand partout.

Cybernétique (du grec *kubernêtikê*, gouverner): système autocorrectif dont le fonctionnement est assuré par un mécanisme en boucle fermée.

Demander: formuler une attente de façon précise, oralement ou par écrit; contrairement à commander, demander incite au dépassement plutôt qu'à l'exécution obligée.

Dépassement: quête de l'excellence.

Description de tâches: liste des exigences essentielles d'un poste ou d'une position.

Déterminé: se dit d'une personne ouverte et souple qui évolue, change, cherche et se dépasse, qui possède une capacité illimitée de changer et de progresser. *Voir* aussi leader déterminé.

Développer: produire, synthétiser, cultiver et, ultimement, créer une amélioration.

Développer une équipe: susciter et renforcer le potentiel de croissance interne; déterminer et unifier les forces individuelles. Par conséquent, un tout devient supérieur à la somme de ses parties.

Dignité: valeur, importance et unicité d'une personne; conscience de sa valeur intrinsèque; la dignité est préservée par des attentes claires et cohérentes, et par la recherche et la concentration de ses forces.

Discipline: apprentissage et développement qui contribuent à construire, à façonner et à renforcer; comportement intègre et orienté.

Donner pleins pouvoirs: créer et entretenir une relation qui permet à l'autre de percevoir son importance, son potentiel et ses forces. Les gens qui ont reçu pleins pouvoirs saisissent clairement leur autorité, leurs responsabilités, la nécessité d'être fiables et leur rôle au sein d'une équipe; leur autonomie est en symbiose avec celle des autres. On acquiert du pouvoir en déléguant du pouvoir.

Douter de ses doutes: soumettre constamment ses doutes à une analyse et une évaluation positives dans le but de découvrir son potentiel.

Dureté: état de ce qui est rigide, comprimé, réprimé, déprimé, opprimé, sec, faible, mort; contraire de la ténacité, de la détermination.

Écoute active: écoute véritable qui sollicite les qualités du cœur, de l'esprit et de l'âme; désir ressenti et exprimé de vraiment comprendre l'autre.

Empathie: projection de sa conscience dans celle d'autrui; capacité de se mettre dans la peau de l'autre.

Engagement: «intégrité dans les intentions»; concentration d'abord intériorisée puis extériorisée de la volonté et de l'énergie, orientée vers différents degrés d'accomplissement.

Entraîneur: personne qui aide les autres à acquérir des connaissances et des moyens d'action dans le but d'atteindre des objectifs communs; sa tâche consiste notamment à aider les autres à cerner leurs forces actuelles et potentielles, à les faire sortir, à les unifier et à les concentrer.

Entrepreneur: le gestionnaire qui se tient debout est d'abord et avant tout un entrepreneur. Il se concentre sur la vision, le dépassement de soi, l'habilitation des autres, la synergie, la rétroaction, la souplesse et, surtout, la détermination. Un entrepreneur s'assure que tous les éléments de la structure pyramidale (*voir* Structure pyramidale) sont axés sur la création, la croissance et l'affermissement.

Équipe: combinaison de personnes ou d'autres unités productives qui travaillent ensemble de façon dynamique et constructive pour produire des résultats synergiques; groupe qui partage la même détermination.

Équipe à potentiel: groupe dynamique de personnes réunies pour combiner leurs forces dans le but de chercher, de recommander et d'apporter des améliorations dans toute l'organisation.

Équipe autonome: équipe qui arrive par elle-même à se concentrer, à respecter son engagement et à donner suite aux attentes qu'on entretient à son endroit; équipe qui réunit en synergie des personnes motivées.

Équipe de force: équipe visant le dépassement dans l'accomplissement; équipe orientée vers des valeurs et inspirée par elles.

Équipe opérationnelle: contraire d'une équipe dysfonctionnelle; équipe qui incarne et applique des principes rigoureux; groupe qui se réunit régulièrement, qui se surpasse et qui développe de nouvelles façons d'atteindre ses objectifs.

Esprit déterminé et cœur aimant: combinaison synergique d'attitudes et d'actions qui traduisent le dépassement, la ténacité, la discipline, la chaleur humaine et la bienveillance.

Estime de soi (*voir aussi* confiance en soi): sentiment de confiance en soi qui s'exprime davantage dans l'immédiat.

Étude de cas: document où on consigne les épisodes clés (négatifs et positifs); sert à l'encadrement et à l'assistance sociopsychologique.

Évaluer: déterminer la valeur relative d'une personne, d'un lieu, d'une chose ou d'une relation. C'est souvent par l'analyse qu'on découvre ses valeurs (ses forces).

Excellence: résultat obtenu lorsqu'on entreprend une chose en donnant délibérément le maximum.

Fiabilité: capacité de rendre compte des résultats d'un engagement qu'on a pris.

Flexibilité et souplesse: contraire de la rigidité; façon vivace et engagée de répondre face aux difficultés et aux occasions qu'on rencontre.

Foi: croyance soutenue en une cause; recherche et affirmation qui transcendent les préoccupations immédiates.

Force motrice: énergie concentrée et positive qui permet d'agir. Force personnelle qui rend capable d'atteindre ses objectifs.

Forces G: effet de la gravité au sens figuré. Les forces G négatives du passé sont faites d'attitudes et de pratiques passives et défaitistes qui peuvent entraver et même faire régresser la croissance et la progression. Les forces G positives de l'avenir sont faites d'attitudes et de pratiques passionnées qui, tels des aimants, entraînent le leader vers l'avant de la façon la plus productive et la plus énergique. Les forces G positives agissent comme une boussole qui oriente et entraîne vers l'avant.

Forces: véritables réalités de la vie. Une faiblesse indique seulement l'absence ou l'insuffisance d'une force. Les forces sont les seules fondations, les seules ressources sur lesquelles on peut construire sa vie dans tous ses aspects. La force et l'intégrité sont synonymes.

Gestalt: structure où les réactions des individus ou de l'organisation à une situation forment un tout plutôt que d'égaler la somme de ses parties et de ses éléments; configuration globale de facteurs.

Gestalt sociale: entremêlement dynamique de modes de comportement individuels qui fait que l'accomplissement d'un groupe est supérieur à la somme de ses parties.

Gestion par objectifs: gestion où toutes les décisions et les activités sont exécutées dans le but d'atteindre et de dépasser des objectifs communs clairement définis.

Grâce: bien-être spécial qu'on ressent et qu'on veut donner à autrui. La grâce est dénuée de mesquinerie et d'égoïsme. Elle est l'expression de la croyance voulant qu'on consacre la majeure partie de ses énergies *pour* les autres et non *aux* autres.

Gratitude: pensées, émotions et gestes qui expriment la reconnaissance et qui transmettent des éloges mérités.

Individu: dans le vocabulaire d'une personne déterminée, c'est le contraire d'un rebelle. Le rebelle vit et agit en fonction de sa seule opposition à quelque chose; l'individu vit et agit en fonction des choses auxquelles il croit.

Innovation: nouveauté en ébullition; concepts, méthodes, recherches et applications en constant état de renouvellement.

Insatisfaction: désir sain et ardent de progresser, de gagner en efficacité, d'accomplir de nouvelles choses; contraire du mécontentement.

Intégrité: force, authenticité, réalisme et détermination.

Interdépendance: réciprocité entre les membres d'une équipe qui dépendent les uns des autres. Une telle interaction se transforme en synergie lorsqu'on donne aux membres d'une équipe un sentiment d'importance, un apprentissage continu, des valeurs et des exemples positifs, des centres d'intérêt et des attentes claires.

Juger: tirer des conclusions subjectives au sujet d'une autre personne. Les jugements projettent sur les autres nos sentiments négatifs; ils projettent des faiblesses; contraire d'évaluer.

Kinesthésie ou langage corporel: étude des gestes et des mimiques en tant que mode de communication.

Leader accompli: leader qui fonctionne conformément au système de valeurs contenues dans ce livre et qui s'efforce d'avoir des attentes claires, de réinvestir les forces en présence, de les mettre en valeur et de donner pleins pouvoirs à son équipe. Le leader accompli vit et travaille dans le contexte d'une vision transcendante du possible.

Leader déterminé: type de leader qui, telle une boussole, montre la voie à suivre et qui, tel un aimant, entraîne les autres à sa suite. Ce type de leader marche à la tête du peloton et personnifie le système de valeurs et de pratiques que le présent ouvrage préconise.

Leadership basé sur le renouveau: application constante des principes et des méthodes contenus dans ce livre. Ce leadership tient pour acquis que tous les membres d'une équipe sont plus productifs et se réalisent davantage s'ils sont appelés à se dépasser, à progresser, à participer, à se donner pleins pouvoirs et à se sentir importants. Pour assumer un leadership basé sur le renouveau, le leader doit donner l'exemple.

Leadership basé sur les attentes: leadership qui repose sur un système global d'attentes. Ce système s'applique à l'ensemble d'une organisation et est alimenté par le déploiement logique des forces. Le leadership basé sur les attentes suppose la croyance selon laquelle la réussite de l'organisation repose sur les individus. Ce genre de leadership met en pratique les principes et les méthodes contenus dans ce livre.

Leadership intuitif: capacité de prendre des mesures appropriées sans nécessairement savoir pourquoi; capacité cultivée ou naturelle de deviner avec justesse; sentiment viscéral de ce qui est approprié; compréhension rapide.

Leadership: art d'appliquer un système d'attentes – gestalt dynamique et mouvante d'esprits en interaction – dans le but de mobiliser les forces et de maximiser leur utilisation dans la poursuite d'objectifs.

Levure: mélange dynamique de substances organiques qui engendre une croissance synergique. Cette «bonne» bactérie est faite d'autorité, d'opportunisme, de rigidité et d'autres éléments qui ne sauront survivre dans le monde turbulent de demain.

Libre entreprise: liberté d'action individuelle qui permet de donner sa pleine mesure sur les plans financier, politique, social et spirituel. La libre entreprise comprend la liberté de se développer globalement et d'utiliser tous ses talents dans un contexte de travail qui incite au dépassement.

Loyauté: qualité ou action conforme aux croyances d'une personne ou d'une organisation, que ce soit en pensées, en paroles ou en actions.

Mécontentement: tendance à se préoccuper des échecs passés et à les ruminer. À ne pas confondre avec l'insatisfaction, qui est un désir sain et pressant de changement, de progrès et d'évolution.

Mener: être à la tête du peloton, au sens figuré; entraîner derrière soi, guider, demander, donner pleins pouvoirs, communiquer et obtenir des résultats synergiques.

Mission: énoncé d'intentions et d'engagements qui demande le dépassement, qui oriente et qui met en valeur.

Motivation: Intentions; force qui pousse à l'action. On établit d'abord les résultats, les objectifs et les buts, puis on planifie les moyens d'action pour les obtenir.

Motivation d'équipe: force motrice en action, exprimée de façon synergique; combinaison déterminée de buts à atteindre et à accumuler de façon responsable.

Négatif: action par laquelle on évite les défis et la discipline requise pour atteindre des résultats positifs.

Normes de rendement: spécifications indiquant le rendement minimum; le respect des normes de rendement est l'exigence minimum pour continuer d'occuper un poste. On devrait récompenser seulement ceux qui dépassent ces normes.

Objectif: chose que l'on désire accomplir; résultat visé et souhaité.

Organisation: «organe en action»; dans le monde des affaires, dans le secteur gouvernemental et ailleurs, fonctionnement collectif d'un groupe orienté vers une mission et des objectifs.

Organisation basée sur le renouveau: type d'organisation où tous les éléments de la structure pyramidale, axés sur les individus, sont tournés vers la mise en pratique du contenu de ce livre.

Organiser: combiner les ressources adéquatement pour atteindre des objectifs; déployer logiquement des forces.

Outil: ressource ou combinaison de ressources réutilisables servant à atteindre le degré d'accomplissement voulu; en général, chose qu'on utilise directement pour exécuter une tâche.

Pardon: préalable à la croissance, au bonheur et au renouveau. Lorsqu'on adopte un mode de vie basé sur le pardon des offenses plutôt que sur leur oubli, on devient capable de pardonner.

Participation: utilisation commune et concertée des talents dans le but de développer, de préciser et d'obtenir des liens symbiotiques et des résultats synergiques.

Passif: personne qui renonce et qui ne réagit pas, terne et fade.

Passion: sentiment intense et convergent qu'on nourrit en synchronisation avec les valeurs décrites dans ce livre.

Pensée orientée vers l'avenir: approche dans laquelle tous les éléments de la structure pyramidale d'une organisation sont conçus pour prévoir, créer et innover afin de s'adapter à l'avenir. Le leader orienté vers l'avenir répond au lieu de de réagir.

Philosophie: ensemble de vérités et de croyances. Dans une organisation, la philosophie sous-tend la mission, les buts, les objectifs, l'organisation, les plans d'action basés sur les attentes, et le contrôle.

Plan: ensemble ordonné d'actions visant à remplir une mission ou à atteindre un but ou un objectif. Un objectif n'est pas un plan en soi; il indique la nécessité d'un plan.

Plan d'action: série d'intentions, d'engagements et de tactiques classés par ordre chronologique et de priorité. Un plan d'action inclut les objectifs et les principaux moyens prévus pour les atteindre.

Points stratégiques: activités principales liées à un emploi. Les points stratégiques servent habituellement à déterminer les objectifs ou les critères en regard des responsabilités inhérentes à un poste. Ce terme est également employé pour désigner les aspects essentiels d'une entreprise ou d'un projet.

Présence: manifestation totale de la personnalité d'un individu. Une personne qui a de la présence dégage de l'assurance, de l'efficacité et inspire confiance.

Processus de gestion: processus qui suit la séquence suivante: recherche, vision ou mission, plan, organisation, coordination, exécution, contrôle.

Processus décisionnel consultatif: processus décisionnel où le leader consulte les membres de son équipe et s'enquiert de toutes leurs idées avant de prendre des décisions importantes. Le leader déterminé accorde la priorité au questionnement et à l'écoute active. Par conséquent, lorsqu'il prend une décision et amorce le déploiement logique des forces, les membres de l'équipe sont appelés à tout mettre en œuvre pour respecter leur engagement. La fiabilité est ici essentielle sur le plan opérationnel.

Puissance: qualité émanant du leader qui exerce son leadership en entraînant les autres à la fois subtilement et ouvertement; qualité qui oriente et attire, qui inspire la détermination d'atteindre un but; influence positive axée sur la progression.

Qualité: degré d'excellence d'une personne ou d'une chose. *Voir aussi* qualité totale.

Qualité totale: intégrité de fonction et de composition, de A à Z.

Rebelle: personne qui agit en fonction de ce à quoi elle s'oppose et dont c'est la seule motivation. *Voir aussi* individu.

Rendement: actions distinctes et productives qui dépassent l'objectif ou l'intention et qui sont conformes à l'engagement.

Renouvellement: innovation et rénovation; processus consistant à rafraîchir, à renforcer et à améliorer; nouvelle force physique, mentale et spirituelle.

Respect: sentiment ressenti et exprimé qui traduit la reconnaissance de la dignité, de la valeur et de l'individualité de l'autre.

Responsabilité: capacité de répondre de ses actes; capacité de respecter son engagement, d'agir avec intégrité.

Résultat: produit final; à ne pas confondre avec l'évaluation d'un résultat.

Rétroaction: information qu'on donne en retour pour indiquer clairement le progrès accompli ou les correctifs à apporter dans un projet ou une tâche.

Rêve: espoir profondément enraciné d'une chose possible. Les rêves permettent aux individus et aux organisations d'atteindre les plus hauts sommets.

Sagesse: capacité d'avoir une vision transcendante, de voir globalement, de visualiser dans une perspective appropriée un besoin ou un problème immédiat; connaissance des vérités fondamentales et capacité de les utiliser de façon constructive et pertinente et à des fins de progression, ce qui aboutit à une ligne de conduite qui permet d'obtenir les résultats voulus.

Sentiment d'importance (ou sentiment de compétence): sentiment de «compter», d'exister réellement et de se dépasser.

Sentiment du «nous» collectif: sentiment que ressent la personne qui aime faire des compliments mérités et dont l'engagement envers les objectifs de l'organisation transcende ses besoins, désirs et problèmes personnels; se traduit par l'utilisation du «nous» plutôt que du «je»; sentiment de faire partie d'une équipe gagnante qui obtient des résultats. Ironiquement, ce sentiment est possible seulement lorsque les membres d'une équipe se perçoivent comme des individus (avec leurs propres buts, valeurs et dignité) qui poursuivent un même objectif.

Service: produit continu d'une volonté passionnée de satisfaire aux besoins et aux désirs des autres, et d'exploiter leurs capacités.

Servomécanisme: système de commande en chaîne fermée qui fournit une rétroaction et une capacité macro-organisationnelles et micro-organisationnelles de réagir à une intervention, une stimulation extérieure. Ces macro et micro mécanismes permettent d'engendrer l'adaptabilité dont le leadership dynamique de demain devra faire preuve face à la clientèle.

Sophistiqué: artificiel, très compliqué et raffiné; qualité de ce qui entretient une façade obnubilant la vérité d'une situation.

Stratégie: plan ou méthode soigneusement élaboré et axé sur des macro-objectifs; peut être exécutée et surpassée avec des tactiques déterminées et des moyens d'action très concentrés.

Stress positif: contrairement au stress négatif, qui cause la maladie et la souffrance, le stress positif est une énergie saine et concentrée qu'on utilise pour atteindre un but positif.

Structure pyramidale: structure comportant les éléments suivants: philosophie (principes), politiques (programmes), procédés (pratiques), programmes (individus), objectifs (profits). Ces éléments représentent toute l'infrastructure d'une organisation.

Symbiose: relation dans laquelle la vie ou le travail collectifs produit et favorise des avantages mutuels.

Synergie: Comme tout ce qui monte finit forcément par converger, la synergie est l'effet amplifié d'une rencontre de forces. En d'autres mots, 2 + 2 = 5 ou plus. Le tout est supérieur à la somme de ses parties.

Synergie d'équipe: sens sacré, valeurs, croyances, forces, engagement, dépassement et gratification.

Synthétiser: combiner les valeurs et les forces qu'on a découvertes chez un individu lors d'une évaluation.

Système de commercialisation informatisée basée sur le client: système opérationnel où l'utilisation d'ordinateurs avec écran tactile permet d'obtenir en détail et de façon continue les réactions du client, afin d'évaluer et d'améliorer la pyramide de gestion.

Système: ensemble dynamique d'actions ordonnées et interdépendantes utilisées pour atteindre des objectifs bien définis.

Système de valeurs: combinaison complète et compatible au point de vue fonctionnel de vérités essentielles. Les valeurs reflètent l'interprétation subjective des lois immuables de l'univers qui façonnent et orientent les réactions de l'être humain. Pour créer un climat de productivité, il est essentiel d'exprimer avec méthode les valeurs de la détermination et de les mettre en pratique.

Ténacité: élasticité, endurance et capacité de rebondir; détermination inébranlable.

Théorie X: style de gestion décrit par Douglas McGregor dans *L'aspect humain de l'entreprise.* Ce style illustre le contraire de ce qui est préconisé dans le présent ouvrage, car il est fondé sur la hiérarchie et sur le commandement.

Théorie Y: autre style de gestion décrit par Douglas McGregor. Ce style accorde une très grande importance aux individus et à ce qu'on leur accorde pleins pouvoirs en vue de susciter leur plein potentiel. La théorie Y est dans l'ensemble compatible avec le leadership déterminé.

Théorie Z: style de gestion décrit par William Ouchi dans *Théorie Z;* basé sur 13 étapes utilisées par les grandes entreprises japonaises. Cette approche découle de nombreuses applications des techniques de gestion initialement proposées aux gens d'affaires japonais par Konosuke Matsushita, président à l'époque du conseil d'administration de Matsushita Industries. Il a attribué à Batten, Batten, Hudson & Swab l'introduction de ces techniques originales.

Type scrupuleux: personne affectée, non sincère et trop subtile qui se dévalorise et qui, par conséquent, est distraite et indigne de confiance; dans ce contexte, désigne une personne qui choisit la voie la plus facile et qui justifie ses actions par des clichés; personne qui évite l'autodiscipline.

Unité: cohérence des objectifs, des champs d'intérêts, de la communication et de l'action.

Valeur: qualité (ou force) intrinsèque d'une personne ou d'une chose. *Voir* Système de valeurs.

Valeur ajoutée: produit ou service amélioré à la grande satisfaction des clients.

Valorisation: capacité d'apprécier, d'attribuer une valeur à un événement, une circonstance, une chose ou une personne.

Vision: point de vue transcendant sur ce qui est possible.

Visionnaire: possède une vision alimentée par un mélange de ressources en coordination dynamique servant à un accomplissement immédiat. C'est le terme que nous utilisons pour décrire de quelle façon est équipé un leader déterminé.

Vitalité: énergie positive pleine de vie prête à éclater.

Vulnérabilité: ouverture à de nouvelles expériences; affirmation de la croyance aux belles et bonnes choses de la vie; absence de comportements défensifs, mesquins ou douteux.

Au sujet des auteurs

Mark Victor Hansen a été qualifié d'«activateur» parce qu'il est capable de déclencher chez les gens le désir de découvrir toutes leurs ressources. Depuis plus de 20 ans, à titre de conférencier professionnel, il s'est adressé à plus d'un million de personnes dans 32 pays et leur a fait part de son expertise dans la vente, les stratégies de vente et la réalisation de soi. En 4000 conférences, il a su non seulement inciter des centaines de milliers de gens à se bâtir un avenir meilleur et à donner un sens à leur vie, mais aussi à vendre des millions de dollars de produits et services.

Auteur à succès, Mark a écrit plusieurs livres, dont *Future Diary, How to Achieve Total Prosperity* et *The Miracle of Tithing*. En collaboration avec son meilleur ami, Jack Canfield, Mark a écrit *Bouillon de poulet pour l'âme, Deuxième bouillon de poulet pour l'âme* et *Osez Gagner*[*].

Mark Victor croit fermement au pouvoir d'enseignement des cassettes audio et des cassettes vidéo. Il

---

[*]   Publié aux éditions Un monde différent.

a réalisé une collection complète de programmes qui ont permis aux gens d'utiliser toutes leurs ressources dans leur vie personnelle et professionnelle. Le message qu'il transmet a fait de lui une personnalité de la radio et de la télévision. Il a d'ailleurs animé sa propre émission spéciale au réseau PBS, intitulée «Build a Better You».

Mark Victor s'est donné comme objectif de déclencher des changements profonds et positifs dans la vie des gens. C'est un grand homme au grand cœur et aux grandes idées, un modèle pour tous ceux qui cherchent à s'améliorer.

Si vous désirez de plus amples informations sur les séminaires, les livres et les cassettes de Mark Victor Hansen, ou si vous voulez réserver ses services de conférencier, voici ses coordonnées:

Mark Victor Hansen and Associates, Inc.
PO Box 7665
Newport Beach, CA 92658-7665
(800) 433-2314 ou en Californie (714) 759-9304

Joe Batten est à la tête de Joe Batten Associates. Plus de 80% des entreprises figurant au *Fortune 500* ont assisté à ses conférences, sans compter des centaines de jeunes entreprises et de nombreuses associations importantes. On le présente souvent en disant de lui qu'il est «l'un des cinq plus grands experts-conseils en administration des affaires au monde».

Joe a écrit 16 livres, a réalisé 35 films et vidéos de formation et a produit de nombreuses cassettes audio, dont *The Greatest Secret*. Parmi ses livres figurent *Tough-Minded Leadership* (AMACOM, 1989), *Expectations and Possibilities* (Hay House, 1990) et *Tough-*

Minded Parenting (Broadman, 1991). *Tough-Minded Leadership* a été choisi livre de l'année par l'American Management Association et demeure un succès de librairie. Le livre qu'il a écrit avant *Devenir maître motivateur* s'intitule *Building a Total Quality Culture* (Crisp, 1992). Un autre, appelé *Total Quality Leadership*, suivra *Devenir maître motivateur*. Joe vient tout juster de terminer deux nouveaux enregistrements de 20 minutes sur cassettes vidéo en collaboration avec Ross Perot, intitulés *Perot and Batten on Leadership*. Ces vidéocassettes seront accompagnées d'un album de cassettes audio et d'un livre du même titre.

Parmi les grandes entreprises qui ont fait appel aux services de formation et d'expert-conseil de Batten figurent Xerox, IBM, McDonald's, ServiceMaster, Hospital Corporation of America, General Motors, Exxon, Ford et American Bankers Association. Batten a également donné au Département de la défense des États-Unis son slogan «Be All That You Can Be».

Joe Batten a été le conférencier d'honneur et a donné des séminaires et des ateliers dans plus de 50 grandes universités, y compris MIT, Cal Tech, Texas A&M, Duquesne, État de San Diego, les universités d'Ottawa et de Colombie-Britannique et des universités en Californie, au Michigan, dans le Wisconsin, à Ulster et en Irlande du Nord.

Monsieur Batten est conférencier, formateur et mentor. Voici ses exploits:

- Il est le conférencier d'honneur le plus demandé aux États-Unis.

- Il a donné plus de 3000 conférences et ateliers partout dans le monde.

- Il a été l'un des dix premiers membres du Temple de la Renommée des conférenciers.

- Il a écrit le best-seller *Tough-Minded Management*, publié en 21 langues.
- Il a été interviewé à la radio et à la télévision plus de 500 fois au sujet de ses idées uniques concernant la «détermination» et le «réinvestissement des ressources individuelles».
- On dit souvent de lui qu'il est le doyen des formateurs dans le domaine de la vente.

Joe Batten a influencé la culture de milliers d'organisations à travers le monde grâce à ses livres sur la détermination, à commencer par *Tough-Minded Management* qui a été publié pour la première fois en 1963 et que Ross Perot considère comme «le plus grand livre jamais écrit sur la gestion». Konosuke Matsushita, l'ancien président de Matsushita Corporation, l'utilisait comme livre de chevet.

En plus de donner des conférences, d'écrire et de former des vendeurs, Joe Batten excelle dans son rôle de *mentor* et de *conseiller* auprès de gens qui désirent être leaders ou qui le sont déjà. On peut communiquer avec Joe à l'adresse et au numéro suivants:

Joe Batten
Joe Batten Associates
4505 S.W. 26th Street
Des Moines, IA 50321
Tél. et fax: (515) 285-8069

Bibliographie

AUTRY, James A. *Love and Profit*. New York: Morrow, 1991.

BATTEN, Joe. *Building a Total Quality Culture*. Mento Park, Calif.: Crisp Publications, 1992.

BATTEN, Joe. *Direction par les objectifs et motivations des hommes*, Éd. Dalloz, 1974.

BATTEN, Joe. *Developing a Tough-Minded Climate for Results*. New York: American Management Association, 1965.

BATTEN, Joe. *Tough-Minded Leadership*. New York: AMACOM, 1989.

BATTEN, Joe. *Tough-Minded Management*, 3rd ed. New York: American Mandagement Association, 1978.

BATTEN, Joe. *Tough-Minded Prenting*. Nashville: Broadman Press, 1991.

BENNIS, Warren et Burt NANUS. *Leaders Diriger*, Éd. Inter Édition, 1985.

BURNS, James M. *Leadership*. New York: Harper & Row, 1985.

CANFIELD, Jack et Mark Victor HANSEN. *Bouillon de poulet pour l'âme*. Deerfield Beach, Fla.: Health Communications, Inc., 1993.

COHEN, William C. *The Art of the Leader*. New York: Prentice-Hall, 1990.

COX, Allen. *The Making of the Achiever*. New York: Rodd, Mead & Company, 1984.

CROSBY, Philip B. *La qualité sans larmes: l'art de gérer sans problèmes*, Économica, 1986.

DEAL, Terence E. et Allan A. KENNEDY. *Corporate Culture*. Reading, Mass.: Addison-Wesley, 1982.

DE PREE, Max. *Diriger est un art*. Éd. Rivages / Les Échos, 1990.

GARFIELD, Charles. *Haute performance: la clé du succès en affaires*. New York: Morrow, 1986.

GERBER, Michael. *The E-Myth*. New York: Harper Business, 1986.

GOBLE, Frank. *L'excellence dans le leadership*. éditions Un monde différent ltée, 1981.

HANSEN, Mark Victor et Jack CANFIELD. *Osez Gagner*, éditions Un monde différent ltée, 1997.

HILL, Napoleon. *Réfléchissez et devenez riche*. éditions du Jour, 1977.

KANTER, Rosabeth Moss. *L'entreprise en éveil: maîtriser les stratégies du management post-industriel*, Inter Éditions, 1992.

KOUZES, James M. et Barry Z. POSNER. *Le défi du leadership*, AFNOR, 1991.

MANZ, Charles C. et Henry P. SIMS. *Super Leadership*. New York: Prentice-Hall, 1989.

MILLER, Lawrence M. *American Spirit: Visions of a New Corporate Culture*. New York: Morrow, 1984.

MORTON, Michael S. Scott. *The Corporation of the 1990s*. New York: Oxford University Press, 1991.

NANUS, Bert. *The Leader's Edge*. Chicago: Contemporary Books, 1990.

PILZER, Paul Zane. *Unlimited Wealth*. New York: Crown, 1990.

ROHN, Jim et Ronald L. REYNOLDS. *The Five Major Pieces to the Life Puzzle*. Irving, Tex: Jim Rohn International, 1991.

ROHN, Jim. *Stratégies de prospérité*. Éditions Un monde différent ltée, 1996.

SCHEIN, Edgar H. *Organizational Culture and Leadership*. San Francisco: Jossey-Bass, 1985.

SENGE, Peter. *La cinquième discipline*, Paris, First, 1991.

TUCKER, Robert B. *Managing the Future*. New York: G.P. Putnam and Sons, 1991.

VAN EKERAN, Glenn. *The Speaker's Source Book*. New York: Prentice-Hall, 1988.

WATERMAN, Robert H. *Les champions du renouveau*. Inter Éditions, 1990.

WEST, Ross. *How to Be Happier in the Job You Sometimes Can't Stand*. Nashville: Broadman Press, 1991.

YOUNGS, Bettie B. *Getting Back Together: Creating a New Relationship with Your Partner and Making It Last*. New York: Bob Adams, Inc., 1991.

YOUNGS, Bettie B. *How to Develop Self-Esteem in Your Child: 6 Vital Ingredients*. New York: Ballantine, 1992.

YOUNGS, Bettie B. *Safeguarding Your Teenager from the Dragons of Life: A Guide to the Adolescent Years*. Deerfield Beach, Fla.: Health Communications, Inc.,

ZIGLAR, Zig. *Performance maximum: développez l'excellence en vous-même et chez les autres*, éditions Un monde différent ltée, 1990.